Lila
et les neuf plantes du désir

Margot Berwin

Lila
et les neuf plantes
du désir

Traduit de l'anglais (États-Unis)
par Cécile Dutheil de La Rochère

Titre original :
Hothouse Flower and the Nine Plants of Desire

© Margot Berwin, 2009.
© Éditions Michel Lafon, 2009, pour la traduction française.
7-13, boulevard Paul-Émile Victor – Île de la Jatte
92521 Neuilly-sur-Seine Cedex

www.michel-lafon.com

Pour Armand

« À mes yeux le monde est étrange car il est stupéfiant, effrayant, mystérieux, insondable ; j'ai essayé de te convaincre de prendre tes responsabilités pour ta présence ici, dans ce monde merveilleux, ce désert merveilleux, cette époque merveilleuse. Je veux que tu apprennes à donner du sens à chacun de tes gestes, puisque tu ne vas demeurer ici que peu de temps, trop peu, même, pour découvrir toutes ces merveilles. »

Don Juan, dans *Le Voyage à Ixtlan*, de Carlos Castaneda.

I
New York

Oiseau de paradis

(*Strelitzia reginae*)

Plante originaire d'Afrique du Sud,
de la famille des bananes, recherchée pour sa forme
allongée et ses couleurs chatoyantes. Peu recommandée
aux insatisfaits chroniques, aux gens impatients ou
autoritaires, car elle peut mettre jusqu'à sept ans pour
ne produire qu'une fleur. Parfaite pour quiconque
aime donner sans rien attendre en retour.
Les sujets concernés se reconnaîtront.

E st-ce un hasard si j'ai commencé à m'intéresser aux plantes tropicales ? À vous de juger...

Je venais d'emménager au croisement de la Quatorzième Rue et d'Union Square dans un appartement récemment rénové, sans aucun charme : une grande boîte carrée avec du parquet, pas de moulures, rien d'original, peinte en blanc et basse de plafond, qui correspondait point par point à ce que je cherchais. Il était nickel, j'étais donc sûre que ni les murs ni les lattes n'abritaient le moindre souvenir. Aucune dispute, aucun je-t'aime-moi-non-plus déchirant ne me dévisageait dans le miroir de la salle de bains. Impeccable. Comme la vie dont je rêvais.

Un jour, l'idée m'est venue qu'un peu de verdure le rendrait un peu plus gai, un peu plus pimpant, et j'ai traversé la rue pour essayer de dénicher quelque chose au marché d'Union Square.

Le type qui vendait les plantes était un vrai repoussoir. Il avait une tignasse de mèches blondes et le teint hâlé mais crasseux des gens qui vivent au grand air. Avec sa chemise en laine râpée et ses Timberland usées – par le travail, pas pour se la jouer branché –, il se distinguait nettement des métrosexuels aux ongles faits qui arpentaient le marché, panier en osier dans une main, lunettes Gucci dans l'autre. Ce type était différent. Plutôt péquenot-sexuel bourru.

Il m'a demandé de lui décrire mon appartement, non pas en fonction du nombre de mètres carrés ni de la marque du four ou du réfrigérateur, mais de la lumière, de la température et de l'humidité.

J'ai répondu que j'avais des baies vitrées du sol au plafond, une vue entièrement dégagée, orientée plein sud (pas si courant que ça à New York), et que, dès qu'il y avait du soleil, il faisait chaud et mon studio était inondé de lumière toute la journée, même en hiver.

À vrai dire, je m'avançais un peu parce que je n'y avais pas encore passé un hiver, mais j'imagine que l'idée me rassurait, et j'ai l'impression que ça a aussi rassuré le type, car il a plongé au milieu de ses plantes, la tête enfouie sous des fleurs mauves et les fesses en l'air, avant d'émerger tout sourire avec un immense spécimen de près d'un mètre de haut.

J'étais déçue.

– Qu'est-ce que c'est ?

– Un oiseau de paradis, m'a-t-il répondu en la tenant bien haut et en faisant tournoyer le pot du bout des doigts.

– C'est une plante tropicale ? ai-je demandé en remontant la fermeture Éclair de mon blouson à cause de la brise de la fin mars, imaginant déjà la mort annoncée de la plante.

– Hawaïenne, plus exactement. Une *Strelitzia reginae*, de la famille des bananiers. Elle a besoin de beaucoup de lumière, pas trop directe, et il faut laisser la terre sécher entre les arrosages. Difficile à entretenir, en plus, elle ne fleurira pas avant cinq, six, voire sept années, ça dépend du temps qu'il fera. Et de l'amour que vous lui prodiguerez, a-t-il ajouté avec un clin d'œil.

J'ai redescendu la fermeture de mon blouson.

– Six ou sept ans ? Mon mariage n'a pas tenu aussi longtemps. Vous n'auriez rien qui fleurisse plus vite, genre... une semaine ou deux ?

– C'est la plante qu'il vous faut. Elle est sublime.

– Combien ?

– Trente dollars, et je vous offre une brochure sur les plantes tropicales rares où vous trouverez tous les conseils d'entretien.

– Trente ? J'aime autant m'acheter tout de suite une douzaine de roses au magasin d'en face pour dix dollars, avec de vraies belles fleurs qui embaument.

– Allez-y, mais dans une semaine elles seront mortes. Vous serez obligée d'en racheter tous les samedis. Calculez un peu : avec moi vous faites une affaire. Sans compter que mon oiseau vient des tropiques. Imaginez : la douce brise de l'océan, les feuilles de palmier qui ondoient, les garçons de paillote, les piñacoladas sur les plages de sable blanc face à une eau turquoise.

Je ne sais pas si ce sont les piñacoladas, les garçons de paillote, ou le bleu ciel de ses yeux, en tout cas, en tant que publicitaire, je ne pouvais que m'incliner devant ce pitch parfait. Je lui ai donné les trente dollars et il m'a donné la plante, la brochure sur les espèces tropicales rares et sa carte : « David Exley, homme des plantes ».

– On dirait le nom d'un héros du Moyen Âge.

– Euh, le fait est que j'ai un petit don pour tout ce qui touche à la faune et la flore, si vous voyez ce que je veux dire.

Je ne voyais pas, mais j'ai hoché la tête avec conviction.

– N'hésitez pas à revenir si le bord des feuilles jaunit. Je suis là le mercredi et le samedi, de 6 heures du matin à 22 heures.

– Elles n'ont pas intérêt à jaunir, ai-je répondu en m'éloignant. À ce prix-là, elles ont intérêt à rester grave vertes.

J'ai traversé le marché en tenant mon oiseau de paradis à bout de bras, telle une offrande. J'avais l'impression d'être une de ces femmes qui chaque soir préparent un bon dîner pour leurs enfants inscrits dans une école Montessori et qui portent des Birkenstock en lisant la kabbale, à mille lieues de la femme de trente-deux ans, divorcée, sans enfant et sans plante que j'étais.

Arrivée chez moi, j'ai posé l'oiseau de paradis sur le rebord de la fenêtre. Le pot était trop large et il a oscillé. J'ai rattrapé ma plante à trente dollars juste avant qu'elle valse et s'écrase en mille morceaux. Je l'avais sous ma responsabilité depuis cinq minutes et elle était déjà en danger. Pas très surprenant.

L'oiseau de paradis était le premier être vivant qui entrait dans mon appart depuis mon divorce. Ma devise depuis neuf mois était la suivante : pas d'animaux domestiques, pas de plantes, pas d'humains, pas de problèmes.

J'avais rencontré mon ex-mari au boulot. Il était mignon, malin, brillant, et, nous deux, ce fut une erreur magistrale. Il buvait comme un trou et voulait plein d'enfants. Je ne voulais pas plein d'enfants et je buvais comme un être humain. Je sais, le mariage est un truc compliqué, à plusieurs facettes, mais le nôtre ne l'était pas. Il a duré quatre ans et on pourrait le décomposer comme suit :

An un : « Je t'aime, Lila. »

An deux : « Je t'aime, Lila. »

An trois : « Je t'aime, Lila. »

An quatre : « Je te quitte, Lila, pour la chef de fab de l'agence. »

La chef de fab de notre agence : autrement dit, la fille qui lui apportait ses cafés et réservait ses billets d'avion. Total cliché. À l'époque, je me demandais comment une situation qui semblait sortie tout droit d'une série télé pouvait me faire autant souffrir.

En réalité, le problème de notre mariage n'était ni l'alcool ni la chef de fab. Le problème était d'ordre génétique. Mon mari venait d'une famille nombreuse catholique d'origine irlandaise, où tout le monde se marie et a des enfants, à moins d'être homo ou en phase terminale. Quant à moi, je suis issue d'une famille où personne n'aurait l'idée de se marier à moins d'avoir eu des enfants avant, et en général accidentellement.

Mes parents, que j'aime à la folie, ont divorcé quand j'étais très jeune. Tous deux ont eu ensuite des vies sentimentales archi-agitées, sans jamais se remarier. Ma sœur et mon frère aînés ont des enfants, mais pas de conjoints officiels.

Beaucoup de gens se marient pour respecter la tradition. J'étais rebelle. Je me suis mariée pour rompre avec la mienne.

Curieusement, et contre toute attente, j'ai adoré le mariage. J'adorais les petits rituels qui l'accompagnent. Les petits noms craquants : « mon biquet » pour lui, « ma caille » pour moi. J'adorais aller faire des courses chez Whole Foods, préparer un bœuf bourguignon ou un bouillon de poulet dans une immense cocotte pleine de légumes. J'adorais faire la vaisselle en écoutant Curtis Mayfield. J'aimais m'occuper du linge, le mettre à sécher, bien plier les vêtements. Et, je l'avoue, j'adorais passer l'aspirateur. À tel point qu'il ne serait pas faux de dire qu'en l'espace de quelques années j'étais devenue la personne la plus ennuyeuse au monde. Mais j'étais comblée.

En fait, c'est mon ex-mari qui se révéla profondément allergique au mariage, lui qui, à en croire les signes extérieurs et vu son histoire familiale, était du genre solide, époux idéal. Il était obnubilé par le problème de l'espace. Il avait grandi dans une maison trop étroite au milieu d'une nuée de frères et sœurs et était allergique à l'idée de vivre à deux. Il n'arrêtait pas de me traîner dans des lofts de plus en plus vastes et d'acheter des lits de plus en plus larges, jusqu'au jour où nous avons fini par dormir sur un matelas tellement grand que nous pouvions nous y étaler tous les deux sans que les extrémités de nos doigts se touchent.

Histoire d'être sûre que je n'étais pas complètement folle, j'ai mené une enquête d'opinion sur le lit en question. Mon ami Olivier, décorateur d'intérieur très connu, m'a avoué qu'il n'en avait jamais vu de cette taille dans un appartement à Manhattan. Ma copine Lisa m'a dit qu'il lui donnait l'impression d'être minuscule, comme un bébé perdu dans le lit de ses parents. Ma mère m'a proposé de faire faire des draps sur mesure. Et mon collègue et superpote Kodiak Starr, fou de surf, m'a avoué que l'édredon bleu-vert lui rappelait l'océan. C'était donc objectif. Mon lit était aussi vaste que l'Atlantique. Je dormais sur une rive, à New York, et mon mari sur l'autre, à Londres.

Mon biquet chéri, mon roc, était au fond un fragment de pierre ponce. Poreux et friable face à la moindre pression, et incapable d'exprimer, de reconnaître ce qu'il ressentait. Dans cet appartement géant et dans ce lit géant, inexorablement il s'est éloigné, jusqu'au jour où il n'est pas rentré. Sans blague. Comme ça.

Finalement, mon vrai roc fut mon collègue, Kodiak Starr. Kody était certes un philosopho-surfeur vaseux, beau comme une fille, qui avait l'habitude agaçante de ponctuer ses phrases de mots comme « cool » ou « mon vieux/ma vieille », et il était branché méditation transcendantale et rêve éveillé. Il aurait sans doute été tenté par le new age s'il n'était pas né en 1984, huit ans après moi.

Comme nous partagions notre bureau, c'est lui qui a assuré l'essentiel du quotidien quand je déblatérais sur mon ex. Nous étions supposés travailler ensemble sur une nouvelle publicité pour des baskets Puma, mais la question cruciale de mon mariage nous occupait bien davantage. Le jour où je lui ai avoué ne pas comprendre pourquoi mon mari était parti sans jamais essayer d'en parler, il m'a répondu avec des images de surf, rythmées, bien balancées et faciles à digérer. Il a lissé ses beaux cheveux blonds soyeux derrière l'oreille, posé ses pieds et ses tongs sur le bureau et enroulé ses mains derrière la nuque.

– Ma vieille, je vais te dire, seuls les surfeurs de classe internationale, les mecs qui n'utilisent que des *longboards*, ont assez de discipline pour maîtriser toutes les qualités de vagues, les grosses et les petites, et par tous les temps. Ton mari était un amateur, bon pour les *shortboards*.

– Mais pourquoi moi ? ai-je répété pour la centième fois. Pourquoi faut-il que je passe par là ?

– Parce que boire la tasse, ça arrive à tout le monde.

Après la mort de mon mariage, je me suis donc concentrée sur un seul objectif : maintenir en vie mon oiseau de paradis. J'avais décidé d'être prudente. D'abord les plantes. Et, si tout se passait bien, je retournerais aux êtres humains.

Le matin, avant d'aller travailler, je caressais délicatement les tiges de mon oiseau, légèrement duveteuses et douces au toucher, et je nettoyais ses grandes feuilles proches de celles des bananiers avec une éponge humide dès que je voyais qu'elles avaient trop de poussière des villes.

Je le soignais comme un invité de marque à qui je servais de l'eau au lieu de vin. J'évitais de souffler de la fumée de cigarette dans sa direction. Je veillais à ce que les stores soient remontés toute la journée, même quand le soleil inondait la pièce et que je ne voyais plus rien sur l'écran de mon ordinateur. Je me pliais à ce que je pensais être son moindre caprice, si bien qu'à ma grande surprise il a fini par se déployer. De nouvelles pousses sont apparues sur les tiges que j'ai cajolées avec des mots doux et en les humectant soigneusement. Et très vite elles se sont métamorphosées en d'immenses feuilles vert pâle translucides, brillantes et striées de fines veines.

Je brûlais d'envie de retourner au marché pour remercier David Exley et faire valoir mes exploits (autrement dit, le revoir et le draguer sans vergogne), mais j'avais peur. Avec les hommes, j'avais l'impression d'avoir perdu la main. J'ai préféré appeler Kody.

Il était à la plage et il hurlait pour couvrir le bruit des vagues.

– Faut que tu viennes, Lila. Faut que tu viennes et que tu te fasses quelques déferlantes. Interdit de repartir avant d'avoir des crampes aux mollets à force de plier sur la vague. T'es libre comme l'air, ici, ma belle, libre comme l'air.

J'ai raccroché et j'ai filé au marché en pliant sur la vague.

– Mon oiseau se porte à merveille, ai-je annoncé.

David Exley, l'hommes des plantes, m'a indiqué la réserve derrière lui en pointant le pouce.

– J'en ai un paquet en provenance de la même région.

– Je ne suis pas venue pour acheter, juste pour faire un tour.

– Pas de souci, un petit tour et puis s'en vont. Cela dit, si vous avez une minute, je vous emmène sous ma tente et je vous montre comment donner des ailes à votre oiseau.

– D'accord, pour une fois, j'ai le temps. Je suis tout ouïe.

Il a baissé d'un ton et s'est rapproché pour me demander :

– Avant de vous confier mes secrets sur ma petite affaire tropicale, j'ai besoin de savoir à qui je parle.

– Je m'appelle Lila.

– Lila, c'est sympa. Lila comment ?

– Nova.

– Un deuxième prénom ?

– Grace.

– Lila Grace Nova. Lila Grace la neuve.

Il m'a prise par le coude pour m'entraîner dans sa réserve. C'était une tente de la taille d'un studio, humide, couverte de gouttelettes, qui fourmillait de plantes. Il faisait cinq à dix degrés de plus qu'à l'extérieur, et ça sentait la terre mouillée, la pluie et la cambrousse.

Cinq immenses oiseaux de paradis trônaient sur une petite table de pique-nique en bois. Leurs feuilles étaient bien fermes et pointaient vers le ciel.

— Donnez-moi votre main, Lila Grace Nova.

Il a pris ma main et m'a passé un doigt sur une grande feuille.

— Vous sentez ?

— C'est mouillé.

— Pas mouillé, couvert de vapeur. Vous sentez la différence ?

— Comment faites-vous pour les maintenir dans cet état ? Humides, je veux dire. Sans qu'elles soient vraiment mouillées ?

Il a lâché ma main, couverte de terre à cause de son gant de jardinage.

— Achetez-vous un ou deux humidificateurs, choisissez de grands modèles. Ne les placez pas trop près de votre oiseau, il ne faut pas que les feuilles soient trempées, mais pas trop loin non plus. L'idéal est qu'elles soient toujours couvertes d'une fine couche de vapeur d'eau. Votre oiseau adorera. Il s'épanouira jusqu'au jour où vous serez obligée de quitter votre appartement. Croyez-moi, il faudra que vous déménagiez, ne serait-ce que pour suivre le rythme.

— J'ai horreur des déménagements.

— Parce que vous avez des racines. Ça veut dire que vous avez la main verte.

Ça m'a fait plaisir. « Vous avez la main verte. » C'était tellement plus vivant, plus chaleureux et plus féminin que « vous avez la fibre publicitaire ».

J'ai jeté un œil sur Exley. Il avait les yeux couleur bleu de travail usé, avec de fines pattes d'oie en éventail, sans doute parce qu'il plissait beaucoup les yeux à la lumière du jour. Il me donnait l'impression d'être loin de Manhattan, et j'aimais bien ça. *Ce type est un vrai pro*, j'ai pensé. *Un vrai chou et un vrai fleuriste.*

– Dans quel domaine vous travaillez ? m'a-t-il demandé.

– Dans la pub.

– Glamour, dites donc !

Je n'ai pas hésité. Puisqu'il se la jouait plouc et bourru, autant se la jouer citadine et sexy.

– Oui. (J'ai passé les deux mains dans ma longue chevelure blonde en oscillant la tête et renchéri :) C'est un boulot archiglamour.

Publicité

*Art de vendre des produits à des clients en les
persuadant qu'ils ont besoin de quelque chose dont ils
n'auront aucun usage. Peu recommandée aux âmes douées
d'une éthique trop prononcée, mais parfaite pour les esprits
pratiques qui souhaitent voir leur créativité assortie
d'espèces sonnantes et trébuchantes.*

L e pire, c'est que c'était vrai : professionnellement, j'avais
franchi un cap côté paillettes. Était-ce un cadeau tombé
du ciel ? Ou à cause des heures sup que j'avais faites pour
noyer mon chagrin et oublier mon divorce ? En tout cas,
malgré les avocats, les séances de méditation, les coups de
fil de mon ex-mari bourré, le changement de serrure, le
déménagement et les crises de larmes, j'avais réussi à écrire
et à vendre un scénario de pub avec Kody pour les baskets
Puma. C'était de loin la mission la plus prestigieuse de notre
carrière, et nous étions sur le point d'assister au shooting
avec un supermodel – ici, j'avoue qu'en tant qu'écrivain j'ai
du mal à cautionner le mot supermodel.

Le matin même, je restai plantée devant ma garde-robe
à gémir... je n'avais rien à me mettre, enfin, disons, rien à
me mettre pour assurer face au mannequin.

J'ai essayé différents looks : sexy, grunge, punk et finalement opté pour le look ballerine. Longue chevelure ondulée balayant mes épaules et petite robe courte rose vaporeuse qui virevoltait. J'ai agrémenté le tout d'un châle de soie argentée et glissé mes pieds dans une paire de ballerines brillantes. Je me sentais légère, aérienne, gracieuse, à tel point que je me suis mise à danser au milieu de mon appartement, persuadée que si ma carrière professionnelle franchissait une telle étape le reste de ma vie suivrait.

Le studio se trouvait dans les anciens chantiers navals de Brooklyn et ressemblait à un immense hangar où s'affairaient caméraman, vidéastes, clients, directeur et employés de l'agence, tandis que la suite du mannequin s'agitait autour d'une cuisine provisoire tout en petit-déjeunant. Le mannequin fumait, seule, près d'une table de bridge marron. Elle portait un jean avec des cuissardes noires à bouts pointus, un blouson cintré sous une petite fourrure vintage, élimée à point, et un sac Balenciaga. Elle était d'une élégance époustouflante et il était à peine 7 heures du matin. Maquillage et coiffure n'avaient pas commencé.

– J'y crois pas, ma vieille, regarde-la ! n'a pu s'empêcher de s'exclamer Kody.

La fille a écrasé sa cigarette dans un beignet couvert de sucre glace et j'en ai profité pour me présenter.

– Bonjour, je m'appelle Lila. C'est moi qui ai écrit le scénario de la pub.

Elle a dû s'incliner pour me répondre. J'avais l'impression d'être haute comme trois pommes.

– C'est super, vraiment super.

Elle avait un accent du sud de Londres à la fois charmant et grotesque.

Je n'aurais jamais dû mettre des chaussures plates, me suis-je reproché.

Je suis allée rejoindre Kody, debout à côté du patron, Geoff Evans. Nous observions tous les trois la fille comme un animal au zoo. Elle fumait ses cigarettes comme si c'était son petit déjeuner, picorant çà et là quelques pop-corn, et n'arrêtait pas de bavarder sur son portable. Elle avait l'air heureuse. Pourquoi pas ? Moi aussi je serais heureuse si on ne me demandait qu'une chose, pencher la tête à droite ou à gauche en étant le point de mire, pendant que les autres, gens de peu, m'allumaient mes Winston et m'offraient des pop-corn avec dévotion.

L'équipe des maquilleurs et des coiffeurs est arrivée, et je me suis rapprochée pour assister à la métamorphose de l'adolescente géante en supermodel. Les deux responsables de ce tour de magie étaient deux êtres androgynes dont j'aurais parfaitement été incapable de déterminer le sexe. Pourtant, je vis à New York, où le décryptage du sexe d'autrui est une nécessité à laquelle on est souvent confronté, faut-il le préciser ? J'ai suivi les deux créatures qui entraînaient le mannequin dans une petite pièce éclairée par un plafonnier. Kody n'a pas eu l'autorisation d'entrer.

– Prends des photos avec ton portable, a-t-il murmuré, et je te revaudrai ça toute ma vie.

La fille s'est entièrement déshabillée avant d'étendre les bras sur les côtés, quand les escortes asexuées ont commencé à pulvériser son corps avec deux grands sprays argentés. Ils avaient le visage protégé par un masque et ils l'ont aspergée de fond de teint de la tête aux pieds comme s'ils éteignaient un feu. La fille devint une colonne vivante d'un mètre quatre-vingts unie, sans la moindre veine apparente, ni seins, ni ongles, ni lèvres, ni cils.

Après avoir effacé tout signe d'humanité de son corps, le maquilleur a fouillé au fond d'une valise qui débordait de brosses et de tubes crème nuance chair, puis a dessiné des traits sur son visage. Pendant ce temps, l'artiste coiffeur cousait soigneusement et une par une, avec un fil et une aiguille, une série de longues mèches blondes sur ses fines boucles naturelles châtain clair, créant peu à peu une superbe crinière dorée chatoyante.

Le mannequin était accompagné de son cuisinier personnel, qui lui a préparé de la soupe aux épinards en un rien de temps. Elle fut nourrie par un des laquais, dont c'était sans doute l'unique raison d'être : un blondinet qui soufflait sur chaque cuillerée de soupe avant de la lui donner avec une petite cuillère de bébé en argent, juste assez grande pour être glissée entre ses lèvres. La fille entrouvrait la bouche, quelques millimètres à peine, de façon à ne pas faire craquer le maquillage, quand soudain l'inimaginable survint. Le laquais souffla un poil trop fort et projeta une parcelle d'épinards sur le sein de la déesse. Un murmure de stupéfaction s'éleva alors qu'il s'apprêtait à la retirer du bout du doigt. Le maquilleur le saisit par le bras avant qu'il atteigne le mannequin, ôta les épinards avec un index et demanda à tout le monde de reculer pendant qu'il mettait un masque de protection et réaspergeait la partie endommagée de fond de teint.

Et moi j'étais là, assise, toussant un peu à cause du spray, lisant la brochure de David Exley sur les plantes tropicales tout en grignotant des bouts de ceviche de loup de mer et buvant – en quantité déraisonnable – du chardonnay.

Il fallut six heures pour transformer la belle enfant en ce supermodel que le monde entier nous enviait, et pour que le réalisateur puisse tourner. La fille dansait sur une scène, vêtue d'une robe rouge en Lycra, courte et si moulante qu'on n'aurait pas pu glisser un ruban entre sa robe et sa peau. Elle incarnait une fille de la jungle qui vivait pieds nus et se muait en panthère noire dès qu'elle chaussait les Puma argentés. Une musique violente et très rythmée donnait le ton. Le mannequin se déplaçait de façon provocante, rampant sur le faux tapis de jungle comme une bête, cambrée, les fesses bien en arrière, se redressant de temps à autre pour griffer des troncs d'arbres en plastique avec ses ongles acérés et découvrant ses crocs. Sa peau miroitait sous les lumières bleutées, et elle rejetait sa crinière fraîchement cousue juste au bon moment pour capter le reflet inquiétant d'un clair de lune artificiel.

Le réalisateur, réputé pour ses nombreux clips diffusés sur MTV, hurlait :

– Tu es sublime. Trop belle. Parfaite. C'est ça. Donne. Oui, comme ça...

À quoi devait ressembler le cerveau de la pauvre fille à force d'entendre ces inanités à longueur de journée ?

Le tournage se déroulait si bien que je décidai d'aller voir mon boss dans la cabine de projection privée pour solliciter un petit signe d'encouragement. J'étais quand même fière de moi.

– Je reviens, ai-je prévenu Kody. Je vais dire un mot à Geoff.

Il avait les yeux rivés sur la créature.

– Elle ressemble trop à une panthère, ma vieille. Putain de mutante, ça fait peur.

– Si tu m'appelles encore une fois « ma vieille », moi aussi je me transforme en mutante.

J'ai frappé deux fois à la porte de Geoff, sans succès. Persuadée qu'il était absorbé par le spectacle de la fille, comme Kody, je suis entrée.

En général, le directeur de la création est assis devant la vidéo, seul, et exclusivement concentré sur le tournage pour s'assurer que son client en a pour son pognon (et il s'agit de millions). Mais, vue de là où j'étais, l'image qui défilait sur le moniteur était un embrouillamini d'images floues noir et rouge. Rien à voir avec ce qui avait lieu de l'autre côté de la porte.

Intriguée, je me suis approchée. J'ai mis un moment à comprendre que ce n'était pas exactement le tournage que mon boss suivait. Il matait tant qu'il pouvait sous la robe de la fille... qui ne portait rien.

J'imagine que celle-ci était filmée grâce à un trou dans le plancher, créé par le fameux réalisateur de clips pour le fameux directeur de création de façon à ce que celui-ci profite des parties défendues du fameux top model.

– Qui est là ? a-t-il lancé de son fauteuil sans lever les yeux.

– C'est moi, Lila.

– La porte n'était pas fermée à clé ?

– Non.

– Ah !

Mon boss n'a pas bougé. J'étais tétanisée, choquée. Comment réagir dans une telle situation ?

Enfin, il s'est tourné vers moi.

J'avais la bouche figée en forme de O.

– Oh, je t'en prie, ne fais pas cette tête ! C'est quand même pour ça qu'on fait ce foutu métier, non ? C'est un des petits avantages, si ce n'est l'avantage principal.

J'ai dû plier les genoux pour les empêcher de trembler.

– Personne n'en saura jamais rien. C'est pas comme si j'avais l'intention de revendre les images en ligne ou un truc dans le genre. Je garde le clip pour moi. Il m'appartient, propriété privée.

J'ai légèrement reculé.

– Écoute, Lila. C'est toi qui as écrit le scénario. C'est toi la rédactrice-conceptrice. Toi qui as choisi la robe en Lycra, toi qui as imaginé de la faire tournoyer sur la scène, toi qui as signé le script de ce putain de clip. C'est pas ça que tu voulais ?

Je commençais à me sentir mal, comme si j'étais responsable d'un peep-show impliquant une mineure.

– Il faut que je sorte. Kody me remplacera.

– On a presque fini. Tu veux que je te raccompagne, avec le chauffeur ?

– Je te remercie.

– Tu penses qu'elle viendra à la fête de fin de tournage la semaine prochaine ? m'a-t-il demandé en se retournant vers le moniteur.

J'ai filé illico et traversé la cuisine provisoire en courant. Je n'ai même pas pris le temps de prévenir Kody. Jamais je n'effacerais ces images de mon esprit. Chaque fois que j'apercevrais le visage du mannequin sur un panneau gigantesque à Time Square, je reverrais Geoff Evans haletant face au moniteur vidéo.

J'ai filé vers la ligne L du métro pour rentrer à Manhattan, ce qui m'a valu une heure de torture mentale et de culpabilité. Pourquoi la vie vous réservait-elle régulièrement ce genre de traumatisme ? La vie des autres était-elle ainsi, ou seulement la mienne ?

En sortant du métro, j'ai foncé droit sur mon bar favori, Première Avenue. J'étais à mi-chemin entre la Douzième et la Treizième Rue quand je me suis arrêtée net. Là, juste en face de moi, entre la bodega espagnole et le bar de saké, je l'ai reconnue. La plante la plus incongrue de Manhattan, suspendue derrière la vitrine d'une vieille laverie. Ses feuilles rouge sang et ses fleurs jaune vif reflétaient la lumière d'un réverbère. Je me suis approchée et j'ai plaqué mon visage contre la vitrine graisseuse. J'avais vu la plante dans la brochure d'Exley. C'était une plante tropicale, et elle était très, très rare.

Fougère de feu
(*Oxalis hedysaroides rubra*)

Plante rare, originaire de Colombie, d'Équateur
et du Venezuela. Peut perdre ses feuilles en une journée
sans raison apparente et les voir repousser une fois retapée.
Déconseillée aux débutants, aux personnes en manque
ou à celles qui ont besoin de l'approbation générale.
N'est pas une vraie fougère mais cache bien son jeu.
Nous en connaissons tous quelques spécimens.

J'ai ouvert la porte, je suis entrée et suis tombée sur un truc spongieux. De la mousse, douce et veloutée, qui formait un tapis vert émeraude couvrant toute la laverie. J'ai retiré mes ballerines et j'ai laissé mes pieds s'enfoncer dans le sol. Je brûlais d'envie de m'allonger, mais j'ai résisté en respirant profondément, humant les effluves conjugués de lessive et de javel. J'avais besoin de m'aérer l'esprit.

J'ai marché autour de la pièce, d'abord sur la pointe des pieds pour ne pas abîmer la mousse, puis bien à plat, écrasant délicatement le tapis végétal qui épousait la plante de mes pieds comme des semelles orthopédiques naturelles.

Quel bonheur d'entendre les os de mes pieds craquer après une journée entière enfermée dans ces maudites ballerines !

Un gazon épais poussait sur le dessus des machines à laver et des sèche-linge industriels. Au milieu se dressaient de longues tiges avec des bouquets serrés de fleurs aux couleurs éclatantes. Coquelicots rouges, clochettes mauves, marguerites jaune vif. Comme un champ de fleurs sauvages... Des pots étaient suspendus au plafond, entre les rangées de néons. Des fleurs bigarrées jaillissaient des pots et ruisselaient sur les bancs et les tables pliantes. Les pots eux-mêmes étaient accrochés à d'invisibles fils de pêche et les fleurs semblaient flotter.

On se serait cru dans une forêt tropicale jonchée de machines à laver abandonnées ou, à l'inverse, dans une laverie automatique où aurait poussé une forêt tropicale. L'enchevêtrement des plantes et des machines était tel qu'il était difficile de distinguer les unes des autres. Un chat gris somnolait tranquillement dans l'herbe au sommet d'un sèche-linge. Un peu décontenancée, je l'avoue, je me suis assise sur un des bancs. Un papillon est venu se poser sur mon bras dont les ailes turquoise miroitaient sur mon châle argenté.

– Si vous regardez bien, vous découvrirez une nuée d'insectes, est intervenue une voix d'homme au fond de la pièce. Des papillons, mais aussi des oiseaux et des phalènes. Ils servent à polliniser mes fleurs.

L'homme était invisible, mais sa voix était profonde, calme, un peu râpeuse.

– Attention aux abeilles, certaines personnes sont allergiques à leur piqûre, ajouta-t-il.

Je me suis redressée sur la pointe des pieds, mouillés par la mousse, pour essayer de voir qui parlait entre les fleurs.

– Vous appréciez mes plantes ?

– Oui, elles sont superbes.

– C'est bien vrai, a répondu l'homme en émergeant entre deux grandes feuilles de palmier.

Il devait mesurer un bon mètre quatre-vingt-dix et peser plus de cent kilos. Impossible de lui donner un âge. Cinquante ans ? Soixante-dix ? Avec son pantalon de treillis et son T-shirt vert, ses petites lunettes rondes aux verres teintés, style John Lennon, il ressemblait à un arbre psychédélique.

– Armand, s'est-il présenté en me tendant la main. À votre service.

– C'est gentil, mais je n'ai besoin de rien. Je suis juste entrée pour voir. Je n'ai pas de linge. Je le lave chez moi. À vrai dire, je n'aime pas trop que des étrangers touchent mes vêtements.

Le chat assoupi au sommet du sèche-linge a poussé un cri de bête en chaleur et bondi sur mon épaule. Je me suis dandinée dans tous les sens pour m'en débarrasser, mais il s'agrippait à moi avec ses griffes.

– Aurore, descends et laisse la jeune femme, a lancé Armand en passant la main sous le ventre du chat pour le dégager. Plutôt sexy, votre entrée, dites-moi ! Je comprends pourquoi mon chat vous a sauté dessus.

À peine avais-je entendu le mot « sexy » que j'ai reculé vers la sortie. J'avais eu ma dose pour la journée.

– Que faites-vous dans ma laverie sans linge à laver ? insista-t-il.

J'ai indiqué la plante dans la vitrine, et aussitôt il s'est détendu.

– Ah ! mon oxalide chérie. C'est cette diabolique petite fougère de feu qui vous a attirée vers moi !

J'ai posé la main sur la poignée de la porte, et j'ai précisé :
– Je ne suis pas attirée par vous, je ne vous connais ni d'Ève ni d'Adam.
– Mon oxalide vient de Colombie. Elle adore la lumière du soleil, c'est pour ça que je l'ai mise dans la vitrine, orientée plein sud.
– Ravie de vous avoir rencontré, Armand.
– Oh, allez ! Ça n'est jamais qu'un chat, et vous êtes dans une laverie, ni plus ni moins. Plutôt belle, ma boutique, non ?
Je pouvais difficilement prétendre le contraire :
– Oui. C'est un vrai petit monde à part. Un monde tropical.
– Les tropiques, elles sont là où on veut, vous savez. C'est une question d'état d'esprit.
– Vous n'avez que des plantes tropicales ?
– Non, certaines seulement.
– Comment arrivez-vous à les faire pousser ici ?
– Fermez les yeux et racontez-moi ce que vous voyez quand vous imaginez une laverie.
J'ai dû me concentrer. Pas évident d'imaginer une laverie lambda alors que j'étais au milieu de celle-ci, si luxuriante, si bigarrée et si gaie ! Comme si c'était la première, la seule, l'unique laverie au monde. Néanmoins, j'ai fermé les yeux.
– Je vois... des bacs roulants en plastique pleins de linge sale et des paquets de lessive avec des lettres bleu vif, vertes et rouges. Je vois des petites boules de peluche, rouges et grises, qui traînent par terre. Je vois des gens qui transpirent, qui portent des vêtements moches, assis sur des vieux bancs, le regard happé par d'énormes machines métalliques assourdissantes. Ils observent le linge qui tourne comme si c'était une espèce de rituel ou une séance d'hypnotisme

bizarre. Je vois des affichettes avec des photos de chats perdus et des petites annonces écrites à la main qui proposent des gâteries à bas prix.

J'étais surprise par le nombre d'images que le simple mot « laverie » avait suscitées en moi.

— Vous voulez savoir ce que je vois ? s'est enquis Armand.

J'ai hoché la tête.

— Je vois une immense pièce qui possède les conditions idéales pour faire pousser des plantes. Toute la chaleur nécessaire produite par les sèche-linge, l'humidité et la moiteur par les machines à laver ultrapuissantes, et juste ce qu'il faut de lumière filtrant à travers la vitrine, pas trop directe, parce qu'en général les vitres d'une vieille laverie sont rayées. Une laverie est une serre idéale, avec, accessoirement, quelques vêtements qui tournoient.

— Elle vous appartient ? ai-je demandé, ravie de son explication.

— Oui.

Il a balayé la pièce du bras comme s'il me montrait le Taj Mahal et tournoyé sur la pointe des pieds avec une telle élégance, une telle grâce, le bras droit tendu devant lui, paume vers le plafond, qu'un quart de seconde on eût dit une danseuse d'un mètre quatre-vingts.

— Avant de repartir, une bouture de ma fougère de feu vous ferait-elle plaisir ?

— Vous voulez que je parte tout de suite ?

— Je ne sais pas d'où vous venez, mais il faut bien que vous rentriez, non ? Et moi il faut que je ferme la laverie. (Il a humé l'air de la pièce et ajouté :) Au fait, savez-vous que vous sentez le poisson ? Un poisson de luxe, je vous rassure ! Je pense que c'est pour ça que ma chatte a été attirée par vous. Elle a bon goût, notez. Un genre de loup de mer, j'imagine, c'est le dernier cri par les temps qui courent, non ?

– J'ai mangé du ceviche de loup de mer au boulot, oui.

– Quel style de boulot ?

– Publicité.

– Glamour, dites-moi !

Pourquoi tout le monde réagissait-il ainsi ?

– Oh, pas vraiment.

– Vous aimez votre job ?

– Pas vraiment.

– Qu'aimeriez-vous faire ?

– Vous voulez dire, si j'avais le choix ?

– Oui.

– J'imagine que j'aimerais ce que tout le monde aimerait. Vivre de grandes aventures, tomber amoureuse et gagner plein d'argent. Rien d'original.

– Alors pourquoi n'est-ce pas ce que vous faites ?

– Question de temps, d'argent – comme vous, prisonnier de votre laverie.

– Prisonnier de rien du tout. J'adore. (Armand a éclaté de rire, ou plutôt a gloussé avec la main devant la bouche, comme une gamine.) Alors, vous ne m'avez pas répondu : vous voulez une bouture de mon oxalide ?

– J'ai peur de ne pas savoir l'entretenir. J'ai déjà un oiseau de paradis, mais je l'ai acheté en pot.

– Ah bon ? (Il semblait sincèrement intrigué.) Vous connaissez quelqu'un qui s'intéresse aux plantes tropicales ?

– C'est un vendeur du marché, je ne le connais pas plus que ça.

– Vous comptez lui en acheter d'autres ?

– Aucune idée.

– Retournez-y et achetez d'autres plantes. C'est bon pour la tranquillité de l'âme.

Il a pris une échelle qu'il a posée contre la vitrine.

– Ce n'est pas par hasard si mon oxalide vous a fait signe à travers la vitre. Cette petite coquine vous sera toujours particulièrement chère.

Il est monté sur son échelle, un ou deux barreaux, avec une maladresse qui n'avait plus rien à voir avec sa grâce de danseuse quelques instants plus tôt. Il a dégagé quelques feuilles de palmier et coupé un bout de sa fougère de feu.

– Mettez-la dans un verre d'eau chaude, et dans une pièce plongée dans le noir. Le jour où vous verrez apparaître de jolies petites racines, revenez me voir. Avec un peu de chance, je vous montrerai ma réserve. C'est là que je cache mes vraies plantes tropicales.

– Comment ça, « vraies » ?

– Je possède des plantes très spéciales, a-t-il précisé en virevoltant sur son échelle pour indiquer une porte derrière lui. Neuf, exactement.

– Qu'ont-elles de tellement spécial ?

Il m'a déshabillée du regard, de la tête aux pieds, zigzaguant sur tout mon corps, avec une telle intensité que j'ai eu un peu le vertige et une légère nausée.

– Au début, les gens viennent ici pour leur linge, plutôt par hasard, sans savoir que je possède ces neuf plantes. Mais, comme elles ont des pouvoirs, ils ne peuvent s'empêcher de revenir. Et le jour où ils reviennent ils emmènent des amis, et ainsi de suite... Aujourd'hui, j'ai des clients qui traversent toute la ville, un vrai trekking : ils viennent du West Side, de l'Upper East Side, de Tribeca, de SoHo et du West Village. J'ai même eu des gars qui venaient du Connecticut.

Il y a tellement de monde ici que mes machines commencent à fatiguer. C'est un vrai souci, pas si grave, cela dit.

— Tout ça parce que vous avez des plantes derrière cette porte ?

— Vous m'avez l'air un peu sceptique.

— J'ai du mal à croire que des plantes attirent les clients dans une laverie, surtout si elles sont cachées derrière une porte fermée à clé. Je comprendrais si elles étaient exposées à la vue de tous, sublimes, mais vous ne les montrez à personne.

— D'accord, sauf que mes machines sont les mêmes que celles de n'importe quelle laverie de la ville et ma boutique ne désemplit pas. Je le répète, c'est grâce aux neuf plantes cachées dans cette pièce. En tout cas, c'est ce que je pense.

— Pourquoi vous les cachez ?

— Parce qu'elles ont de la valeur. Au passage, permettez-moi d'ajouter que si vous avez le malheur d'en parler à quiconque je crains que, pour une raison ou une autre, vous n'ayez jamais le plaisir de les voir. Ce qui serait très, très regrettable. Croyez-moi, elles sont exceptionnelles.

— Pourquoi ne me les montrez-vous pas tout de suite ? Quelle différence que je les voie maintenant ou dans une semaine ?

— Je vous ai confié une bouture d'oxalide à partir de laquelle il n'est pas évident de faire pousser des racines. C'est une plante qui n'aime pas cette région des États-Unis, je dirai même cette région du monde. Elle demande de la patience, beaucoup de patience. Si vous obtenez des racines, ne serait-ce qu'une ou deux, c'est bon signe, vous aurez le droit de voir mes neuf plantes.

— Qu'est-ce que je peux faire pour les aider à pousser ?

— Seule la fougère de feu décidera si oui ou non elle

accepte de donner des racines en votre présence. Dans une semaine, un an, ou jamais. On verra.

Armand m'a tendu la bouture. Je l'ai prise, plus ou moins persuadée qu'il me retiendrait par le bras pour m'entraîner dans sa réserve, mais il s'est contenté de m'ouvrir la porte en me souhaitant bonne nuit.

Je suis sortie et me suis retournée pour le regarder. Il maintenait la porte ouverte tout en agitant la main, ou plutôt en agitant les doigts d'une drôle de façon, comme s'ils ondulaient en cadence, d'abord l'auriculaire, puis les autres. Je n'aimais pas ça. On aurait dit qu'il remuait les doigts comme des vrilles pour m'attraper et m'obliger à revenir dans sa boutique.

– À très vite ! Et bonne chance avec la fougère de feu !

Je suis restée quelques instants sur le trottoir, le temps de reprendre mes esprits. J'ai jeté un œil sur ma montre. Mazette ! Il était presque minuit. Je venais de passer plus de deux heures dans la laverie.

Transporter la bouture me semblait une opération délicate. D'ailleurs, pourquoi ne pas m'en débarrasser tout de suite ? Non, curieusement, j'en étais incapable. J'ai préféré me mettre en route, le nez sur cette petite pousse. Elle ressemblait à toutes les boutures de la terre, pourtant. Une tige verte, banale, d'environ dix centimètres, avec deux ou trois feuilles sur les côtés, mais d'une certaine façon je sentais qu'elle avait quelque chose de spécial. Et j'étais là, accrochée à elle plus qu'à mon sac, qui contenait tout mon argent, mon portable et mes cartes de crédit.

Arrivée chez moi, je l'ai simplement posée sur le plan de travail de la cuisine. Je me suis démaquillée, débarbouillée et changée, et j'étais sur le point de me coucher quand j'ai senti une petite boule d'angoisse. Était-ce parce que je venais de me déshabiller et de jeter mon linge au sale ? L'épisode de la laverie me poursuivait. Absurde ! Je ne sais pas pourquoi je perdais mon temps à me tourmenter au sujet de ce bout de verdure. Puis l'image d'Armand agitant le bout de ses doigts répugnants m'est revenue à l'esprit et je me suis précipitée dans la cuisine pour mettre ma bouture dans un verre d'eau chaude.

Je suis loin d'être superstitieuse, je ne lis pas les horoscopes, même pour rire, mais, je l'avoue, je brûlais d'envie de découvrir les neuf plantes cachées dans la réserve de la laverie.

Trachycarpus fortunei

Également connu sous le nom de palmier de Chine ou palmier chanvre. Cet arbre s'épanouit dans des climats plus frais et ne grandit jamais beaucoup, c'est pourquoi c'est une plante parfaite pour les petits appartements de nos grandes villes froides. Ce palmier au cœur tendre ne rejette pas ses vieilles feuilles comme la plupart des arbres, il s'en sépare jusqu'à ce qu'elles forment une enveloppe de protection autour du tronc, leur offrant ainsi une deuxième vie.

L e soleil brillait quand je me suis réveillée. J'ai filé dans la cuisine pour aller voir ma bouture. Suivant les instructions d'Armand, je n'ai pas allumé. J'ai retiré la fougère de feu du verre et je l'ai rapprochée pour l'examiner. Je l'ai fait tournoyer sous mes yeux, louchant au passage, pour repérer le début des racines. Bien sûr, c'était beaucoup trop tôt, il n'y en avait pas encore, mais je l'ai quand même examinée car je suis curieuse de nature : j'adore observer les objets, les cuisinières, fouiner sous les lits et, désormais, examiner les tiges des plantes. La vie devenait de plus en plus compliquée.

J'ai fait rouler la tige entre le pouce et l'index pour essayer de repérer le moindre relief à la surface, la moindre irrégularité signalant le début d'une racine... quand j'ai commencé à avoir un peu le vertige, comme si c'était moi qui tournoyais. Je me suis adossée au plan de travail et j'ai remis la bouture dans le verre d'eau. J'ai pris une éponge humide et je suis allée du côté de mes baies vitrées nettoyer les feuilles de mon oiseau de paradis. Avoir les mains occupées m'apaisait. J'ai nettoyé, nettoyé, jusqu'à ce que je reprenne mes esprits. J'ai balayé la pièce du regard. Il n'y avait qu'une seule plante : mon salon avait l'air nu et vide par rapport à la laverie, si colorée, à la beauté si ravageuse. Armand avait raison. J'avais besoin de plus de verdure.

– Hé, mademoiselle Pub ! a hurlé Exley du fond de sa tente.
– Lila, vous vous souvenez ?
– Ça fait un moment que je ne vous ai pas vue, a-t-il répondu en sortant de sa réserve. Comment va votre oiseau ?
– Super.
– J'en étais sûr. J'ai l'art de trouver les bons foyers pour mes plantes. Je peux vous proposer autre chose ?
– Avec plaisir. Vous n'auriez rien qui bouleverserait ma vie de fond en comble ?
– C'est beaucoup me demander.
– J'ai besoin de beaucoup.
– Cet oiseau vous fait un sacré effet, dites-moi ?
– Oui.
– Hum. À mon avis, il vous faut un truc encore plus tropical, plus exotique. Qui vous mette du baume au cœur, mais qui soit inattendu. Un truc rouge brûlant, coloré, avec un joli parfum tout doux.
– C'est exactement ce qu'il me faut.

– Dans ce cas, je pense que vous adorerez ma dernière acquisition !

Il a agité le doigt pour que je le suive. J'ai noué mes cheveux sur la nuque avec un chouchou pour éviter que mon brushing ne finisse en frisottis et je suis entrée sous la tente humide en veillant à fermer le rabat derrière moi.

– Elle arrive de Chine, m'a-t-il annoncé, non sans un certain respect, tout en enlaçant une plante assez volumineuse, protégée par une toile brune.

– Vous ne comptez quand même pas me vendre cet arbre, ou peu importe la plante qui se cache en dessous ? Il me faudrait un camion de déménagement pour la transporter.

– Ce n'est pas un arbre ordinaire, c'est sûr. (Il a tiré sur une corde jusqu'à ce que la toile tombe au sol.) Voilà : vous avez sous les yeux un *Trachycarpus fortunei*. Un palmier de Chine, ou palmier chanvre.

À peine libérées de la toile qui les enserrait, les feuilles du palmier ont remué de bas en haut, tel un éventail, comme si Exley et moi étions sur une véranda en Chine du Sud.

– On extrait du sucre à partir de la sève de ce palmier, a expliqué Exley. Et de quoi rembourrer fauteuils et canapés. Brosses à cheveux, vernis de bricolage, grains de rosaire, pièces d'échecs, toques, boutons, bouillottes, margarine, huiles de cuisson, shampoings, conditionneurs, produits cosmétiques, crèmes hydratantes, paillassons, savons, boîtes de conserve, amidon pour le linge : tout ça vient de ce palmier.

Les yeux bleus d'Exley s'animaient à mesure qu'il me vantait les vertus de son palmier de Chine. Il posait régulièrement ses mains gantées sur le tronc ou le prenait entre ses bras en s'appuyant de tout son long contre l'arbre. Le type était né pour vendre des plantes. Je ne sais pas si c'est à cause de lui ou du palmier, mais je lui ai tout de suite demandé combien il en voulait.

– Je vous l'offre pour deux cents dollars tout ronds.

– C'est beaucoup pour une plante.

– Je vous rappelle qu'elle a voyagé, et depuis la Chine. (Il a tiré sur une des grandes feuilles avant de la relâcher, créant un bref courant d'air.) Si vous avez assez d'espace, et si vous en avez le cœur, je vous offre un croton de la Jamaïque en prime.

Une main sur le tronc, il a tourné autour du *Trachycarpus fortunei* et s'est arrêté pile en face du croton.

C'était une petite plante avec de longues feuilles oblongues aux nuances mauve pâle, rouge profond et orange.

– Regardez-la suffisamment longtemps et vous sentirez peut-être l'arôme d'un poulet *jerk* à la jamaïcaine se dégageant d'un cabanon au bord d'une route. Mon bébé a grandi en Jamaïque. Elle est chaude, toute chaude. Prenez ces deux plantes et vous aurez à la fois la douceur des Caraïbes et l'exotisme de l'Extrême-Orient. Plus jamais vous n'éprouverez le besoin de sortir de chez vous.

– C'est quoi, ce truc ? Sur la tige ?

Exley s'est penché.

– Bien, bien, regardez-moi ça ! s'est-il exclamé avec un grand sourire en glissant vers la plante. Un *Alsophis anomalus*. Ce petit coquin s'est offert un aller simple en auto-stop pour la Grosse Pomme, direct sur le dos de la plante.

Vif comme l'éclair, il a saisi le serpent brun sous la tête pour le dérouler de la tige. Il l'a maintenu en l'air un instant. Le serpent a agité son corps long et musclé comme un fouet, d'avant en arrière, frappant régulièrement le palmier de Chine. Il a fini par se calmer, et Exley a relâché sa prise.

Docile, il s'est enroulé autour de son bras, en cinq ou six tours, tel un ensemble de bracelets de cuivre.

– Vous voulez le toucher ?

J'ai reculé d'un pas.

– N'ayez pas peur. Il n'aime que les petites créatures au sang froid, genre lézards et crapauds.

– Et vous.

Exley caressait la tête du serpent.

– Je passe chez vous en fin de journée pour vous déposer mes deux plantes avec mon camion, d'accord ?

– Vous laissez l'*Alsophis anomalus* ici, promis ?

– Promis.

Je suis rentrée et j'ai passé l'après-midi à m'activer comme une vraie bobonne. Ménage, poussière, spray dans tout le studio, puis ménage, poussière et cocktail pour mon oiseau de paradis.

À la fin de la journée, comme promis, Exley a débarqué avec sa vieille camionnette blanche pourrie.

J'ai ouvert la porte : il était là, devant moi, tenant le croton sous le bras comme un corsage fragile pour un bal de fin d'année, le palmier de Chine debout à ses côtés, tel son cavalier.

– Bravo.

– Je tiens mes promesses.

– C'est vrai ? C'est rare.

Il a tiré le palmier de Chine à travers l'appartement sur mon beau parquet flambant neuf, laissant une longue trace de terre derrière lui, puis déposé les deux plantes de part et d'autre de l'oiseau de paradis, face aux vitres orientées au sud. Il a hésité, déplacé les pots jusqu'à ce que la disposition lui plaise, puis s'est essuyé le visage avec l'immense paume de sa main. Il est revenu près de moi et a regardé les plantes en leur souriant. Un vrai beau sourire, fier comme s'il venait de m'offrir une bague sertie de diamants.

– Merci de me les avoir livrées si vite.

– C'est la cuisine ? m'a-t-il demandé en indiquant du pouce la pièce derrière lui.

– Ouais.

Il avait sa grosse paluche sur la poignée quand je l'ai saisi par le bras.

– Interdit d'entrer.

– Pourquoi ? Vous cachez un cadavre ?

– Non. Je ne dois pas laisser filtrer la moindre lumière.

– Vous pratiquez la culture hydroponique ?

– Vous voulez rire ? Pas du tout, mais c'est comme ça, interdit d'entrer.

– D'accord, mais vous, vous pouvez y aller ? Je meurs d'envie d'un verre d'eau.

– Pas de problème.

J'ai entrouvert la porte coulissante, très légèrement, pour ne laisser entrer qu'un minimum de lumière.

– Tenez.

J'ai tendu la main avec un verre d'eau avant de me faufiler pour sortir délicatement.

– Vous n'êtes pas comme tout le monde, Lila Grace, a fait remarquer Exley en buvant l'eau d'un trait. Je peux vous en demander un second ?

J'avais commencé à entrouvrir de nouveau la porte quand il m'a attrapée par le bras.

– Je rigolais. Je voulais juste vous voir vous faufiler comme ça.

Heureusement, il a changé de sujet.

– Votre oiseau se porte comme un charme. Achetez-moi un ou deux humidificateurs et il ira encore mieux. Il se redressera. Ça sera bon aussi pour le croton et le palmier de Chine.

– Je l'asperge avec ça. (Je lui ai montré un spray en plastique rose.) Je veille à ce qu'il soit couvert de vapeur, mais jamais mouillé : je suis vos conseils.

– Essayez de maintenir la température au-dessus de treize degrés la nuit, pour le palmier. Disons, au-dessus de quinze pour être sûr. Et quand vous aurez acheté les humidificateurs, tâchez de maintenir l'eau chaude à l'intérieur. L'eau froide provoque un choc dans le système, l'appareil se grippe et finit par s'arrêter. Pareil pour les êtres humains, remarquez. Ne buvez jamais d'eau froide si vous pouvez l'éviter.

– Merci encore pour la livraison.

– Oh, c'est rien.

Il a passé ses doigts gantés de jaune dans sa tignasse blonde, trahissant une certaine timidité qui m'a touchée.

J'ai fouillé au fond de mon sac pour trouver de quoi lui donner un pourboire.

– Oh, non, non merci. Pas de soucis. C'est un plaisir de trouver un foyer chaleureux pour mes plantes.

– Dites donc ! ai-je lancé en tapotant sur son biceps. J'étais en train de penser...

– Quoi ?

– Si je vous préparais un petit dîner un de ces quatre ? Ce serait une façon de vous remercier de les avoir montées jusqu'ici et de les avoir installées ?

Exley s'est tu. J'ai cru entendre les plantes souffler de l'oxygène.

– Vous êtes en train de me draguer ?

– Pas du tout. Pas vraiment. Je voulais juste vous inviter à dîner pour vous remercier.

– Ah, d'accord. Genre dîner retour d'ascenseur.

– Je pourrais préparer un petit plat léger. Du poisson, des pâtes fraîches, une salade, sauf que vous ne mangez sûrement pas de verdure, non ? Ou commander des pizzas ou un plat chez un Chinois.

– Ça vous arrive rarement, non ?

– Rarement, oui...

La conversation s'enlisait grave. Au secours ! Qui sait si je n'avais mis ce bel homme si sympathique dans une position épouvantablement inconfortable ? S'il ne vivait pas avec quelqu'un, s'il n'était pas marié ?

– La prochaine fois, je pourrai entrer dans la cuisine ?

– Promis.

– Alors d'accord. J'accepte.

– Super. Je suis contente.

Dans l'entrée, il a fait volte-face.

– Votre appartement, Lila, est parfait pour mes plantes tropicales.

Je savais que dans sa bouche c'était plutôt un compliment, comme si j'avais choisi mon appartement pour ça.

J'ai fermé à clé derrière lui et je suis allée à la fenêtre. Je l'ai regardé traverser la rue jusqu'au marché vert entre les feuilles de mon palmier de Chine. J'avais les yeux fixés sur sa veste de treillis quand il s'est arrêté en pleine rue, s'est retourné et a levé les yeux vers moi en agitant la main. J'avais l'air idiote, là, en train de zyeuter entre ces frondes, du coup, j'ai fermé les feuilles comme deux battants de porte.

J'ai suivi les conseils d'Exley et investi dans deux humidificateurs superpuissants que j'ai installés aux extrémités de mon appartement. J'ai provoqué une véritable bruine permanente pour créer une réplique de climat tropical. Mes cheveux frisouillaient, mais mes plantes se déployaient. Les murs ruisselaient de vapeur et le parquet gondolait, mais grâce à l'humidité j'avais la peau douce et mes vêtements n'avaient plus de plis.

Mon oiseau de paradis était toujours mon chouchou, comme l'aîné d'une famille (je sais de quoi je parle, je suis la troisième), mais j'ai obtenu des résultats aussi satisfaisants avec les deux autres, le *Trachycarpus fortunei* et le croton.

J'avoue qu'il est assez facile de se laisser séduire par les plantes quand elles s'épanouissent avec autant d'évidence. Contrairement à d'autres, elles ne s'en vont pas si la situation est un peu houleuse, elles ne mettent pas de la mauvaise musique, ne produisent pas de sons bizarres, ne s'habillent pas de façon excentrique. Au fond, elles sont là, debout, superbes, affichant leur bonheur, telles des mannequins de mode. Et je trouvais ça particulièrement gratifiant.

Palmier du Mexique
(*Washingtonia robusta*)

Type de palmier résistant et autosuffisant dont les feuilles vert vif sont en forme d'éventail, qui peut atteindre une hauteur de vingt mètres. Le palmier du Mexique est une plante d'intérieur idéale car il s'adapte à tous les styles de vie, néanmoins, il ne faut pas trop l'arroser, le nourrir ou le tailler. En d'autres termes, maîtriser ses tendances mère poule. Le palmier du Mexique n'a pas besoin de tout ce que avez à donner. Un peu suffit.

J e me sentais un peu ridicule au moment où j'ai mis mes lunettes de soleil, tout ça pour aller espionner une laverie (franchement, jusqu'où ma vie allait-elle s'effondrer !), mais je n'avais pas allumé dans ma cuisine depuis près de deux semaines, et pas la moindre racine n'était apparue sur ma bouture. Je ne pouvais quand même pas continuer à frétiller comme une vierge effarouchée chaque fois qu'un beau mec me demandait un verre d'eau.

Je n'avais pas vraiment l'intention de lui parler, mais je pensais que ce serait pas mal de traîner sur la Première

Avenue pour observer Armand de plus près et en plein jour.
Qui sait ? Je me souvenais d'un type de plus d'un mètre
quatre-vingt-dix et plus de cent kilos, propriétaire d'une
laverie automatique tapissée de mousse, avec une réserve
de neuf plantes secrètes. Mais, quand je l'avais rencontré,
j'étais moi-même une jeune femme légèrement déboussolée
et fraîchement divorcée qui sortais d'une journée de travail
épouvantable.

J'ai traversé Union Square et filé côté est en passant
devant le Dunkin' Donuts de la Quatorzième et le New York
Sports Club d'Irving Place. Je tournais à droite sur la Première Avenue quand, soudain, j'ai vu un attroupement inha-
bituel devant la laverie.

Beaucoup de gens avaient avec eux les inévitables sacs
de linge rouge ou noir avec le grand logo en forme de tulipe
rose du business d'Armand, mais d'autres, aussi nombreux,
n'avaient pas de sac particulier et attendaient en discutant
ou en buvant un café.

Enfin, j'ai décidé d'être adulte et d'arrêter d'espionner
pour entrer dans la laverie et en découdre avec Armand.
J'étais prête à y aller quand j'ai entendu un cri dans la foule.

– Hep, madame ! a hurlé une petite bonne femme avec
un énorme sac de linge, la queue, c'est par là.

– Pardon, ai-je hurlé en tournant les talons pour aller me
placer au bout de la file d'attente.

Je ne voulais pas embarrasser Armand en resquillant
devant ses clients.

– Vous attendez quoi ? ai-je demandé au type devant moi
qui n'avait pas de sac.

– De parler à Armand.

– Parler de quoi ?

– Ça ne vous regarde pas.

– Je voudrais juste savoir si c'est à propos de plantes tropicales.

– De plantes tropicales ? Pas du tout. Ce n'est pas franchement mon problème.

J'ai continué à attendre et, quelques instants plus tard, l'homme s'est tourné vers moi.

– Les gens viennent consulter Armand à propos de tout et n'importe quoi. L'un parce que sa copine le trompe, l'autre parce que son mari ne l'aime plus… pour un chagrin d'amour, une rupture, une dépression, une effraction, une tuile, la chienlit habituelle. C'est le mec à qui on se confie dans le quartier.

– Combien prend-il ?

– Rien, mais le bouche à oreille s'est répandu ces derniers temps, et maintenant il faut prendre son ticket. Toutes les bonnes choses ont une fin, non ?

– Il est de bon conseil à ce point-là ?

– Vous croyez que je ferais la queue un samedi après-midi pour rien ? Je suis père de famille, je vous ferai remarquer.

J'ai attendu une bonne heure, en tout cas, plus longtemps que chez le garagiste ou au nouveau Trader Joe's de la Quatorzième Rue, quand j'ai fini par entrer.

– Je me demandais quand vous passeriez me faire signe, m'a dit Armand, assis sur une caisse de bouteilles de lait en plastique rouge.

Il taillait une pousse avec une paire de ciseaux à ongles.

– Vous m'aviez reconnue, dehors ?

– Bien sûr que je vous ai repérée, vous étiez en train d'épier la laverie comme une voleuse.

– La bouture n'a pas donné de racines.

– Je sais. Sinon, vous ne seriez pas en train d'espionner. Patience. C'est encore trop tôt. Quelqu'un l'a vue ?

– Non, personne, et ça n'a pas été facile, croyez-moi.

– C'est bien. Il faut être sûr qu'elle ne donne des racines que pour vous. S'il y a quelqu'un dans les parages, elle peut en donner pour cette personne et vous n'en bénéficierez jamais.

– Dans quel sens j'en bénéficierais ?

– Aucune idée.

– J'ai commis une erreur en venant vous voir ?

– Mais non, on s'en fout ! m'a-t-il répondu en haussant les épaules. De toute façon, votre vie ne m'intéresse pas tant que cette pousse n'aura rien donné. Si c'est le cas, ça veut dire que nous appartenons à un espace différent que nous n'avons pas choisi, ni vous ni moi.

– Comment se fait-il que vous puissiez répondre à toutes leurs questions ? ai-je poursuivi en jetant un œil sur les gens qui poireautaient à l'extérieur.

– Vous étiez tellement pressée de me quitter l'autre soir, m'a-t-il répondu en levant sa bouture à la lumière, que vous ne m'avez même pas dit comment vous vous appeliez.

– Lila Nova.

– Hum, a-t-il bredouillé en roulant la pousse entre le pouce et l'index. Lila Nova. C'est doux. Ça ne vous ressemble pas.

– Je suis douce.

– Tu parles. Douce comme la pierre.

Et il a éclaté de rire.

– Alors, comment se fait-il que vous puissiez répondre à toutes leurs questions ?

– Je ne réponds pas.

– Et pourquoi font-ils tous la queue un samedi après-midi pour discuter avec vous ?

– Qui vous dit qu'ils ne sont pas là pour admirer mes plantes ?

– J'ai du mal à le croire. J'ai parlé avec un type devant moi, il n'en avait rien à cirer.

– Je vais vous donner une piste, parce que je vous aime bien, Lila Nova. Mon boulot n'est pas compliqué. J'exprime juste ce qu'ils savent déjà.

J'ai regardé tous ces gens dans la rue.

– Venez, a-t-il ajouté en tirant une caisse en plastique près de la sienne. Asseyez-vous et écoutez. Mais débrouillez-vous pour ne pas avoir l'air d'écouter, sinon, plus personne ne viendra et vous me gâcherez tout mon plaisir.

La première personne est entrée, un homme, qui a balancé son sac de linge à côté d'Armand. Le sac a émis un soupir appuyé quand il s'est assis dessus.

– Bonjour, Armand, comment allez-vous ?

– Bien, très bien, merci. Que puis-je faire pour vous aujourd'hui ?

– Je me fais du souci pour moi et Elaine.

– Comment va-t-elle, Elaine ? a répondu Armand sans lever les yeux, en continuant à tailler sa pousse avec ses ciseaux à ongles.

– Elle n'arrête pas de s'en prendre à moi. Quoi que je fasse, elle me titille et cherche à me faire des crasses.

– Des crasses... Des crasses... Crasse, *crassifolium*, a-t-il répété en levant sa pousse à la lumière.

– Comment ?

– C'est juste un type de fougère que j'aime bien.

– Si j'utilise un crayon à papier 2 B, elle me demande pourquoi je ne prends pas un 3 B. Si j'achète des serviettes blanches, elle en veut des roses. Jamais contente. Tout ce que je fais lui déplaît. Je commence à devenir un peu parano.

Je me demande si elle n'en a pas marre de moi, si elle n'a pas envie de se tailler, même. Vous la connaissez... qu'en pensez-vous ?

– Dites-moi quel est votre emploi du temps pour une journée type ?

– Rien de spécial. Je me lève. Je vais bosser. Je bois un coup avec mes potes. Je rentre, mais jamais à point d'heure. Je jette rarement un œil sur une autre femme, si c'est ça que vous voulez savoir, en tout cas, quasiment jamais quand Elaine est avec moi.

– Rentrez directement chez vous, oubliez le bar.

L'homme est parti et j'ai lancé un regard interrogateur à Armand.

– « Oubliez le bar » ? Vous n'avez rien de mieux à lui conseiller ? En effet, c'est pas trop compliqué.

Il a souri.

– Sa femme est déjà venue se plaindre ici, elle ne supporte pas qu'il boive. Je sais qu'il m'écoute, alors peut-être qu'il mettra la pédale douce question alcool. On ne sait jamais. Au fond, je m'en fiche. Il est plus marrant quand il a bu, ça, c'est sûr.

– Pourquoi avez-vous mentionné cette fougère ? *Niphidium crassifolium* ?

– Parce que ça m'amuse. La plupart des gens m'ennuient à mourir. (Il a posé sa pousse et s'est tourné vers moi en ajoutant :) Je vais vous confier un secret. Je pourrais venir en aide à la plupart de ces gens, mais souvent je n'ai pas le courage et je préfère que mes plantes prennent le relais.

– Comment ça ?

– Un type entre. Il ne sait pas qu'il a une question mais moi je l'ai deviné. Sauf que je n'ai pas de réponse à proposer, parce qu'il ne demande rien, du coup, je refile le boulot à l'une de mes plantes.

– Par exemple ?

– Récemment, j'ai vu entrer un type jeune, qui vous ressemblait beaucoup. Il avait plus ou moins votre âge, votre taille, mais il était là exclusivement pour son linge. Il n'avait aucune intention ni de parler avec moi ni d'admirer mes plantes. Je ne suis même pas sûr qu'il les ait remarquées.

– Il était aveugle ?

– Pas du tout, mais incapable de voir ce qu'il y avait autour de lui parce qu'il était d'une tristesse absolue. Il était jeune mais il marchait le dos voûté, comme s'il avançait avec un détecteur de métaux. Le rythme de sa vie était au ralenti, ça se voyait.

– Qu'est-ce que vous avez fait ?

– Rien. Pourquoi aurai-je dû ? Je ne suis pas médecin, je n'ai pas le temps de soigner tous les gens qui débarquent ici avec un air de chien battu. J'ai passé le relais à la plus intelligente de mes plantes, mon palmier du Mexique, exceptionnel. Je suis allé droit vers le type qui pleurait sur ses chaussettes et ses caleçons sales et je lui ai demandé ce qui n'allait pas. « Rien, foutez-moi la paix », il a répondu.

« J'ai souri aussi chaleureusement que possible. Je lui ai expliqué que j'étais le propriétaire de la laverie et que ce n'était pas la première fois que je le voyais, c'était donc un client particulièrement loyal, alors je lui proposais de laver son linge chez moi gratuitement pendant six mois s'il acceptait de s'occuper d'une de mes plantes.

– Ça m'a l'air d'une proposition géniale.

– Le mec était trop déprimé pour réfléchir à ma proposition, du coup, il a répondu oui tout de suite, sans se poser de questions. Et, quand il est reparti, je lui ai donné mon palmier mexicain. Il était immense, presque un mètre de haut, et un peu moins, à peine, en largeur. Un palmier superbe, en pleine santé, avec des feuilles qui ondulaient, très séduisant. « Prenez bien soin de lui, je lui ai recommandé. Et revenez quand vous voulez pour votre linge. Je vous offre ça, quel que soit le degré de saleté. » Je lui ai crié après : « Vous pouvez utiliser mes machines à volonté ! »

– Il savait comment entretenir le palmier ?

– Non. D'ailleurs, il ne m'a rien demandé. Il l'a pris et il est parti.

– Et alors ?

– Alors il est revenu environ deux semaines plus tard, l'air plutôt mécontent et penaud. « Les feuilles sont en train de virer au jaune et marron sur les bords. Qu'est-ce que je dois faire ? »

« Je lui ai expliqué qu'il l'arrosait trop et qu'il lui suffisait d'arrêter jusqu'à ce qu'il sèche complètement. Qu'il ne fallait pas trop qu'il s'en fasse, le palmier récupérerait. Il est revenu trois semaines plus tard, il était encore plus renfrogné. « J'ai arrêté de l'arroser, j'ai suivi vos recommandations, et maintenant il perd ses feuilles ! »

« Oh, là, là, il était tellement mécontent ! s'est exclamé Armand avant de glousser.

– Qu'est-ce que vous avez fait ?

– Je lui ai expliqué que le palmier était dans un nouvel environnement et que son comportement n'avait rien de surprenant. Qu'il le garde encore un peu, qu'il attende que ses feuilles repoussent, ensuite, une fois qu'il aurait repris un peu de forces, qu'il le rapporte ici. Il est revenu pour la troisième fois, il faisait encore plus la gueule. Vraiment, il était blême. « Le palmier est en train de crever. Je vous en prie. Dites-moi comment le sauver. » Je lui ai avoué que jamais je n'aurais pensé que mon pauvre palmier traverserait tant d'épreuves. « Continuez, n'abandonnez pas, j'ai répété. Débrouillez-vous pour sauver cette superbe plante et rapportez-la-moi, vite. » Et vous savez ce qu'il a fait, ce petit malin ?

– Quoi ?

– Il est rentré et il l'a taillé en pièces ! Il l'a découpé à la hache, saucissonné en morceaux. Quand il n'en pouvait plus, il s'en est débarrassé en le balançant direct dans l'incinérateur à ordures.

Armand riait.

– Vous trouvez ça drôle ? ai-je demandé, légèrement agacée.

– Mon beau palmier, mon immense palmier du Mexique l'a mis tellement hors de lui !

– Et vous vous en fichiez ?

– Écoutez-moi bien. Ce type était en pleine dépression. Il avait besoin de s'en prendre à quelqu'un. Il fallait que ça sorte. La plante a compris que quelque chose n'allait pas en lui et elle lui a permis de guérir !

– Comment pouvez-vous vous réjouir d'un truc pareil ? Il a tué une de vos plantes préférées.

– Oui, mais ce palmier a montré une capacité de résistance extraordinaire. Un véritable génie. Réfléchissez-y. D'abord il vire au jaune, ensuite il abandonne ses feuilles, et, comme ça ne marche toujours pas, il se laisse mourir. Ah ! même moi, je l'avais sous-estimé. Il s'est donné un mal de chien pour que ce type sorte de ses gonds. Quand il a vu qu'un truc ne marchait pas, il en a essayé un autre, jusqu'au jour où il a frôlé la mort, et le type était totalement, définitivement découragé. Mon palmier a sacrifié sa vie pour lui. Il a accompli un miracle !

– Comment pouvez-vous déclarer ça ? Qu'est-ce qui vous permet d'affirmer qu'il savait ce qu'il faisait ?

– Oh, je n'en suis pas sûr, mais tout se passe comme si... Le palmier du Mexique est un arbre particulièrement résistant, qui pousse dans les milieux les plus hostiles, connu pour ses capacités exceptionnelles d'adaptation. Pigé ? Pour lui, c'était un effort de ne pas survivre !

– Le type continue à venir laver son linge ici ?

– Bien sûr. Et il a l'air heureux. Il a une charmante jeune femme au bras et il est tout sourire !

– Il m'a l'air total débile, oui.

– Pas du tout. C'est une très belle histoire. Une histoire d'amour. Ma plante était amoureuse de lui.

J'ai préféré dire au revoir à Armand. Comment croire à cette histoire de palmier qui sacrifiait sa vie pour un mec ?

– Revenez quand vous aurez des racines, a-t-il crié derrière moi.

Le lendemain soir, en rentrant de l'agence, je suis allée voir où en était ma pousse. Je suis ressortie de la cuisine surexcitée comme jamais. J'ai commencé à danser dans mon appartement, cognant au passage mon croton et renversant de la terre sur le parquet flambant neuf. Rien à faire ! La bouture de ma fougère de feu avait quatre longues et tendres racines blanches.

Plante à billets

Une once, soit vingt-huit grammes de marijuana peut
valoir jusqu'à plusieurs centaines de dollars. Depuis 2006,
la marijuana est la source de liquide numéro un des
États-Unis, la somme totale annuelle frôlant les trente
milliards de dollars. Le safran d'Iran est la deuxième plante
la plus onéreuse, car il faut soixante-quinze mille fleurs
pour produire une once de cette épice appréciée.
Quant à l'orchidée, elle a tendance à échapper à la loi
de l'offre et de la demande ; son évaluation est plutôt
comparable à celle de la peinture ou de la sculpture,
dont la valeur dépend de l'œil du collectionneur.

J'ai pris la bouture avec ses toutes nouvelles racines, et je l'ai aspergée de vapeur d'eau et enroulée dans un morceau de Cellophane. J'aurais aimé l'apporter tout de suite à Armand, mais la fête de fin de tournage Puma était à 18 h 30. Quelle coïncidence que la fête ait lieu le soir même de l'apparition de mes racines ! Non seulement j'étais obligée de voir Geoff Evans tous les jours, mais en plus il fallait que je lui consacre ma soirée. J'avais organisé les choses comme suit : buffet dînatoire, on s'éclipse à 19 h 30 et, hop, direction laverie automatique.

J'ai jeté un œil sur le croton contre lequel je venais de trébucher : je me sentais coupable. J'étais obnubilée par Exley, et en pensant à lui et à son amour des plantes j'ai préféré le rempoter tout de suite. Et voilà, déjà 17 h 30, et j'étais en train de verser de la terre fraîche sur mon croton au lieu d'attendre Kody et le chauffeur de l'agence en bas de chez moi. En deux minutes, j'étais couverte de terreau. Il était trop tard pour me changer : j'ai simplement secoué et martelé les pieds pour les débarrasser de la terre, donné un rapide coup de brosse sur ma jupe, enfilé une paire de chaussures à talons et suis sortie en verrouillant la porte.

Le portier de l'immeuble, Carlos, en savait beaucoup trop sur ma vie. À tel point que chaque fois que je le voyais je me sentais humiliée. Je suis sûre qu'il avait remarqué que je ne sortais jamais de l'ascenseur avec un homme. À dire vrai, chaque jour que Dieu fait, Carlos était là pour me rappeler ma solitude. C'est l'inconvénient majeur de la présence d'un portier. Impossible de tricher sur sa vie, même à ses propres yeux. Pire que d'aller chez le psy.

— Quelqu'un est passé et a laissé ça pour vous, a-t-il dit au moment où la porte de l'ascenseur s'ouvrait.

Il m'a tendu une enveloppe blanche. Elle avait des traces de terre, un peu comme moi, et contenait un mot bref et direct : *Je ne peux pas mercredi soir. David Exley.*

Point de *Êtes-vous libre jeudi soir par hasard ?* Ni l'habituel *Et si nous reportions ?* Ou simplement *N'hésitez pas à passer me voir au marché.* Le ton de son mot était professionnel, total neutre. Signé par un type du marché qui m'avait vendu deux plantes, point barre.

J'ai fait semblant d'être agréablement surprise face à Carlos, comme si je venais de recevoir une invitation fort chaleureuse, loin de cette fin de non-recevoir de la part d'un homme que j'aimais sincèrement. J'ai compris à son expression de regret automatique qu'il ne marchait pas. Il était évident à ses yeux, et aux miens, que j'étais vouée à demeurer célibataire toute ma vie. Je l'ai gratifié d'un sourire qui lui a fait peur, du moins j'en ai eu l'impression, et je me suis éclipsée.

La voiture qui devait m'emmener au dîner était garée devant l'immeuble. Kody, installé sur la banquette arrière, sirotait un café d'un air maussade. Je me suis glissée à côté de lui et me suis consciencieusement récuré les ongles un par un, avant de les limer en les frottant contre ma jupe. Le chauffeur m'observait dans le rétroviseur. Son air dégoûté signifiait clairement : *Merci d'éviter de saloper mes sièges en cuir avec la crasse de vos ongles.*

À mi-chemin entre mon immeuble et Upper East Side, Kody a enfin consenti à ouvrir le bec.

– Tu es dégueulasse.

– Je sais. J'ai renversé une de mes plantes et il a fallu que la rempote au dernier moment.

– Ça pouvait pas attendre ?

– Non, ai-je répondu en brandissant mon bout de papier Cellophane, regarde, j'ai des racines !

– Qu'est-ce que c'est que ce truc ?

Il m'a arraché le papier des mains.

– Fais gaffe, s'il te plaît, ne le secoue pas et ne le frappe pas contre quoi que ce soit. C'est une bouture d'oxalide, j'ai mis des semaines à obtenir des racines.

– On dirait un tout petit tubercule.

– On voit que tu ne sais pas ce que c'est, un petit tubercule.

– Toi non plus, a-t-il répliqué en tenant ma bouture hors de ma portée.

– C'est la partie légèrement gonflée d'une racine souterraine. Ça ressemble à une pomme de terre.

– Tu m'as l'air un peu crispée. Tu as rencontré quelqu'un ?

– Ça ne te regarde pas.

– Tu as revu le mec du marché vert ?

– Oui. Mais, je répète, ça ne te regarde pas.

– Tu devrais peut-être te mettre au yoga, a-t-il lâché en me rendant ma bouture. Ça te détendrait plus que l'alprazolam.

– Je n'ai pris du Xanax qu'une fois, juste après mon divorce. Essaie un peu de traverser un divorce sans médoc...

Kody a aussitôt embrayé avec son mantra favori.

– Yoga nidra, yoga du sommeil. Pranayama, contrôle de la respiration. Hatha yoga, ô karma yoga !

– Ô mon karma chtarbé, c'est quoi, ce nouveau truc, le yoga du sommeil ?

– C'est l'exercice qui consiste à rester éveillé en dormant, à garder l'esprit en alerte pendant que ton corps dort.

La voiture a ralenti, c'était l'heure de pointe.

– Je vais faire une petite sieste, a repris Kody. Corps et âme. Réveille-moi quand on arrive.

Le restaurant était à la hauteur de son nom : Glace. Glacial dans tous les sens du mot, comme si les propriétaires avaient tant dépensé pour le mobilier et la déco qu'ils n'avaient plus de quoi chauffer. Cela dit, le lieu était très beau. Des motifs en cristal taillé étaient gravés à même les plateaux des tables en verre dépoli, auxquelles étaient assorties des chaises bleu pâle. Des lampes aux ampoules bleutées brillaient sous des abat-jour bleus, et les serveurs et serveuses étaient tous pâles, blonds aux yeux bleus, ton sur ton avec l'ensemble. Dans les grands miroirs argentés Art déco, dépourvus de cadre, se reflétaient une foule de gens tous plus élégants les uns que les autres, et chaque table était agrémentée d'un bouquet de lis blancs affrétés par avion d'une région de la planète où les lis étaient en fleur.

J'ai regardé attentivement à travers la vitre avant d'entrer. Tout le monde était là. Rédacteurs-concepteurs et créatifs, de même que tous ceux qui bénéficiaient d'initiales : D. A., D.G. et autres P.-D.G. On ne savait jamais exactement ce que ces gens fichaient, mais c'était sûrement très important puisqu'ils avaient d'immenses bureaux avec des baies vitrées donnant sur tout Manhattan et des machines à café italiennes sophistiquées autour desquelles s'affairaient une kyrielle d'éphèbes.

Nous sommes entrés, et le boss, Geoff Evans, s'est immédiatement levé pour nous accueillir.

– Et voilà l'équipe gagnante ! s'est-il exclamé, déjà ivre. Tu es cradingue, Lila, a-t-il ajouté.

Toute l'assemblée s'est retournée pour scruter mes vêtements sales.

– Je ne suis pas cradingue, ai-je fini par me défendre. C'est juste un peu de terreau, mais dont la formule est très spéciale : un mélange de sphaigne de tourbe canadienne, de tourbe bio à base de graines de roseau, de cosses de riz et de produits de la forêt, parfaits pour les violettes africaines et les gesnériacées, et sûrement plus nourrissants que toute la bouffe que vous vous apprêtez à manger.

On entendait une mouche voler.

Comme si de rien n'était, je suis allée m'asseoir à côté de Kody.

– Sympa, a-t-il lâché.

– Ces gens ne connaissent rien à rien. J'ai plus de produits bio sur moi que tout le Whole Foods d'Union Square.

– Alors ? Qu'est-ce que tu comptes faire avec cette racine ?

– C'est une bouture, pas une racine, et je compte l'apporter à un mec que j'ai rencontré dans une laverie.

– Tu es de plus en plus bizarre, tu sais.

– Pas si bizarre que ça. C'est un type qui fait pousser des plantes tropicales dans sa laverie, sur la Première Avenue.

– C'est vrai ? Cool !

Voilà ce que j'aimais chez Kody : il était de ceux qui savent que la Terre et tous ses habitants ont un petit grain, et au fond il préférait. Quant à moi, j'étais plutôt de ceux que l'étrangeté du genre humain effrayait, même si j'avais l'habitude de me retrouver face à des cas.

– Je parie qu'il cultive de la sativa dans sa laverie. Et peut-être du peyotl, le nec plus ultra.

Kody était porté sur tout ce qui se fumait ou s'ingérait. Il adorait planer.

– C'est peut-être une espèce de chaman branché plantes ?

– Aucune idée, franchement. Tout ce qui m'intéresse, c'est les plantes.

– Et lui, à quoi s'intéresse-t-il, à part les plantes ?

– Je ne sais pas.

– Moi, je sais, a répliqué Kody en souriant.

– C'est pas son genre. Il n'est pas tout jeune.

– Comme toi.

– Je te remercie.

Soudain, les bouteilles de champagne sont arrivées, suivies d'une série d'assiettes garnies. Foie gras poêlé aux fruits de la passion, gaspacho au saké et aux pignons avec huîtres et cerises, soupe de châtaignes avec lichettes de saumon et bâtons de céleri, loup de mer de Méditerranée avec copeaux de parmesan et bulbes de lis carbonisés.

– Comme ça, au moins, on sait ce qu'ils font avec les lis fanés, a commenté Geoff Evans en s'asseyant à côté de moi et enfournant un gros bulbe.

– Lila a rencontré un mec qui aime les plantes, lui aussi, est intervenu Kody. Qui n'en mange pas, cela dit, mais qui en fait commerce. Au marché vert d'Union Square.

J'ai bu une lampée de champagne en donnant un coup de pied à Kody sous la table.

Geoff Evans a retiré un truc vert entre ses dents avant de le remâcher et d'embrayer :

– Tous ces écolos sont dingues. Ton copain qui vend des plantes, là, oublie. La nature suit la même voie que la calotte glaciaire arctique, et la même que celle du léopard des neiges, du rhinocéros blanc, du gorille au dos argenté, du jaguar, des Pygmées, des Inuits... Tous les ours polaires auront disparu dans moins de cinquante ans. La nature, c'est fini. T'étais pas au courant ?

Il m'a fusillée du regard, comme si mon amitié pour quelqu'un qui vendait des plantes était une injure contre sa personne.

– L'innovation technique, il n'y a que ça de vrai, a-t-il poursuivi en brandissant son portable. Voilà la nouvelle nature. Un produit qui a zéro faiblesse. Impossible à éliminer parce qu'il y en a un milliard en réserve sur le site de production. Et comme il n'est pas biodégradable, il est par définition indestructible. Impossible de le bouffer, de l'éradiquer de la planète, de le brûler pour le recycler. C'est un parfait produit autosuffisant, avec une durée de conservation infinie.

– Qu'est-ce que tu fais de l'oxygène ? a demandé Kody. Les plantes nous apportent de l'oxygène.

– Oxygène, smoxygène, a répliqué Geoff en jetant un regard autour de la table. Où est la nana ?

– Au lycée, ai-je répondu.

Était-ce le foie gras trop gras, le brouhaha ou les sonneries des portables posés à côté de chaque assiette comme un couvert ? À la fin du premier plat, j'ai eu la nausée.

J'ai foncé sur la porte givrée du restaurant avec ma bouture et couru dehors en aspirant de grandes bouffées d'air comme si c'était de l'or.

Sans réfléchir, j'ai sauté dans le métro direction sud, pour aller à la laverie et continué à pied jusqu'à la Troisième Rue, en serrant dans mes bras ma bouture comme une cinglée. Mon petit bout de verdure était l'objet le plus précieux au monde. J'avais besoin de m'investir dans quelque chose qui m'éloigne de Geoff Evans, de ses adolescentes nues et de la mort annoncée de la nature.

L'heure de pointe était passée et les rues n'étaient pas trop bondées. Le trajet à pied aurait dû être agréable, hélas, j'étais taraudée par toutes sortes de questions au sujet d'Armand. Qui me garantissait que ma bouture était bien une fougère de feu, soit une oxalide de Colombie, et non pas une fougère qu'il avait coupée dans le parc de Tompkins Square ? Et s'il cherchait à me coincer dans sa réserve au milieu de ses fameuses neuf plantes en verrouillant soigneusement la porte ? Difficile de ne pas se méfier d'un inconnu quand on a passé toute sa carrière professionnelle au milieu de pubards.

Et des doutes, j'en avais tant qu'arrivée à la hauteur de la Trente-Quatrième j'ai viré direction ouest, à l'opposé de la laverie, du côté du marché vert.

Il fallait que je voie Exley. C'était exactement le genre d'homme dont j'avais besoin. Un type qui faisait du commerce, pas un type qui s'abreuvait de couleurs et de blanc. Certes, il avait annulé notre dîner, mais, flirt mis à part, lui seul saurait me dire si la bouture n'était pas bidon.

À peine arrivée au marché, je l'ai repéré : il arrosait ses crotons en pestant contre la couche de nuages et le temps, étonnamment frisquet pour un mois d'avril. « Nord-est », « cumulonimbus »... je distinguais çà et là les termes techniques qu'il lâchait sur un ton rageur. Très vite, il m'a reconnue, apparemment ravi, mais, comme il venait de refuser mon invitation, il a rougi et reculé.

— Comment va votre oiseau ? a-t-il lancé en me tendant la main sous son gant de jardinage jaune.

— Il grandit de jour en jour.

— Et le palmier de Chine ? Pas trop difficile à entretenir ?

— Non, comme l'oiseau de paradis, il se porte comme un charme.

— Ils seraient tous les deux morts si je les avais conservés ici, a-t-il ajouté en levant les yeux au ciel. C'est pas une bonne année pour nos amis des tropiques. Ni pour les affaires, d'ailleurs. Impossible de les maintenir en vie plus d'une semaine ou deux. À peine de quoi avoir le temps de les vendre.

— C'est pour ça que vous avez annulé le dîner ?

– Vous, au moins, vous allez droit au but. La vérité, c'est que je n'aime pas trop mêler les affaires avec les histoires de rendez-vous, de dîner et tutti quanti. Ça finit toujours mal.

– Je ne suis pas sûre qu'on puisse parler affaires alors que vous m'avez juste vendu trois plantes.

– C'est peut-être pas ce que vous, vous appelez affaires, m'a-t-il répondu en me jetant un regard en biais, mais pour moi oui. Je vends des plantes, je vous en ai vendu deux, et j'espère vous en vendre d'autres.

– Excusez-moi, ai-je ajouté après un bref silence. Vous avez raison. Je suis une cliente.

Exley a continué à arroser ses plantes, et pendant un moment ni l'un ni l'autre n'a moufté.

– Mon croton grandit comme un ado en pleine croissance, ai-je repris. Je suis rentrée l'autre jour et le pot s'était cassé la figure pendant que j'étais au boulot.

– Le croton est trop gros. Il faut le rempoter. Achetez du terreau professionnel Schultz pour pots individuels et un pot de six à huit centimètres plus large. Cassez soigneusement le vieux en faisant de longues entailles sur le côté avec un sécateur, du haut jusqu'en bas, à la hauteur des racines. Tassez au fond du nouveau pot quelques centimètres de terreau et des bouts de céramique ou des graviers pour le drainage, ensuite, prenez l'ensemble des racines (il a souligné son explication en tournant la main, les dix doigts grands ouverts) et replacez le tout dans le nouveau pot. Rajoutez du terreau jusqu'à deux ou trois centimètres du bord. Le croton vous en sera reconnaissant, croyez-moi.

– À dire vrai, je ne suis pas venue ici pour savoir pourquoi vous avez annulé le dîner. Et j'ai déjà rempoté mon croton.

70

– Ah ?

– Je suis venue parce que j'ai une question. J'ai besoin de vos conseils.

– Si c'est une question de plante, je suis votre homme.

J'ai ouvert mon petit paquet et déroulé les racines blanches de ma bouture.

– On m'a dit, de source pas si sûre que ça, que c'était une oxalide de Colombie. Je voudrais en être sûre.

Il a lâché son tuyau d'arrosage.

Il s'est approché de moi, tout près, les yeux dans mes yeux, et, soudain, je n'ai pas eu le temps dire ouf, il m'a arraché la bouture des mains et a filé sous sa tente. Je me suis précipitée derrière lui. Il a dégagé la terre et les feuilles qui traînaient sur une petite table en bois qu'il avait dû installer pour donner un petit air de jardin à la française à sa tente. La table était si bien dégagée qu'on aurait pu y coucher une centaine de boutures. Il a pris la mienne entre les mains, délicatement, puis l'a déposée tel un *nouveau-né* – ce qu'au fond elle était. Il a sorti une loupe du long tiroir qui couvrait la longueur de la table et l'a examinée. Il ne disait plus un mot.

Enfin, il a levé les yeux.

– C'est une oxalide, sûr et certain. Ça se voit à cause de son côté arbuste. La plupart des oxalis sont des tubéreuses, mais pas ce petit trésor. C'est une plante très rare. Je n'en ai vu qu'une fois, en Amérique du Sud.

Il s'est interrompu et a dardé sur moi son regard comme si j'avais commis un crime.

– Où l'avez-vous trouvée ?

J'avais déjà vu ce regard chez certains hommes, mais il trahissait un désir sexuel, pas un désir de plante. Je n'aimais pas trop sa façon de me dévisager, ni celle dont il dévisageait ma bouture... Vite, j'ai repris mon bébé dans mes bras. J'étais là, debout en face de lui, avec ma bouture serrée contre la poitrine. Il a contourné la table pour venir à côté de moi, si près que j'ai senti l'odeur de la terre sur sa veste. Jamais je ne m'étais sentie aussi attirée par un homme pour une raison si saugrenue.

– Vous en voulez combien ? m'a-t-il demandé.

– Vous voulez rire ?

– Je vous offre cinq cents dollars tout de suite. Ou j'essaie de la vendre pour vous au meilleur prix, et ça sera sûrement beaucoup plus que cinq cents. On partagera la différence.

– Pourquoi parlez-vous à voix basse ?

– Parce que je ne veux pas qu'on sache que cette bouture est ici.

Comme je me méfiais de ce genre de retournement de situation inopiné (j'avais suffisamment donné ces derniers temps), j'ai gloussé, mais j'étais vraiment nerveuse. Cinq cents dollars, c'était bien payé pour mettre une pousse de rien du tout dans un verre d'eau chaude et attendre quelques semaines qu'elle donne des racines.

– Où l'avez-vous trouvée ? a-t-il répété, ignorant les clients qui se pressaient à l'extérieur.

Je savais qu'il ne me croirait pas si je lui disais la vérité. Je n'ai même pas cherché à mentir.

– Dans une laverie.

– Si vous me mettez en contact avec la personne qui vous l'a offerte, je vous propose deux cents dollars supplémentaires. Je suis peut-être un cul-terreux qui vends des plantes, mais je sais que c'est pas rien, même pour une fille qui travaille dans la pub.

S'il est vrai qu'en moyenne on change trois fois d'orientation dans une carrière professionnelle, j'avais peut-être sous les yeux une nouvelle perspective en vue.

— Alors ? m'a-t-il relancé.

Il n'était pas impossible que j'obtienne de nouvelles boutures de la part d'Armand et que je puisse les vendre à Exley. Et là, ciao Geoff Evans, je vivrais en faisant la navette entre la laverie et le marché vert, transportant des boutures de plantes tropicales de producteur à vendeur.

— Je pourrais être l'intermédiaire, ai-je lâché, sans vraiment savoir quel était le rôle de ce qu'on appelait un intermédiaire. Je récupérerais les boutures et vous me paieriez en échange.

Exley avait l'air ennuyé.

— Je parlais de plantes qui ont de la valeur, a-t-il précisé en appuyant sur les deux syllabes du mot « valeur ». Vous avez vu d'autres plantes qui ont du prix, à part l'oxalide ?

— Je suis incapable de savoir si telle ou telle plante a de la valeur. Je ne savais pas que celle-ci en avait jusqu'à ce que je vous la montre. Mais la personne en question m'a mentionné neuf plantes qu'elle cachait dans une réserve.

Je ne voyais pas où était le problème à évoquer ces neuf plantes, puisque je n'avais pas l'intention de donner l'adresse de la laverie à Exley.

— Vous êtes sûre qu'il a parlé de neuf ? Neuf plantes ?

— Oui, oui, neuf.

— Vous les avez vues ?

— Non. Apparemment, je ne suis pas encore prête. Mais si j'arrive à obtenir des racines à partir de ma bouture, alors...

— J'y crois pas. Les neuf plantes du désir !

— Comment ?

– Rien, c'est juste un vieux serpent de mer entre accros aux plantes. Un mythe...

Exley m'a paru se calmer. Il a passé un bras autour de mes épaules, et ce n'était pas désagréable, même s'il avait encore ses gants de jardinage.

– Essayez de me rapporter le plus de boutures possible. Si la moindre d'entre elle pousse, vous ne le regretterez pas, croyez-moi.

Ce n'était pas exactement la proposition que j'attendais, mais c'était un début.

J'ai quitté le marché vert et filé vers la laverie. Il ne me restait plus qu'une chose à faire, montrer mes racines à Armand. Aucun doute, il serait impressionné, et vite convaincu de me confier de nouvelles boutures. Et, qui sait, d'une des fameuses neuf plantes. Les neuf plantes du désir, comme les avait appelées Exley. Ça leur donnait un côté sexy, outre le mystère savamment entretenu par Armand.

Peu à peu je comprenais pourquoi j'étais prête à travailler avec Armand et Exley. Ça n'avait rien à voir avec l'un ou l'autre. Il s'agissait de moi, de ma vie et de ma vie professionnelle. Au fond, je n'étais peut-être pas faite pour la pub, mais pour quelque chose de beaucoup plus romanesque. Le commerce de plantes tropicales, par exemple.

Le nombre neuf

Beethoven a composé neuf symphonies. Un chat a neuf vies. Une équipe de base-ball comprend neuf membres. Il existe neuf muses. Nous parlons de « preuve par neuf ». Neuf est le chiffre unitaire le plus élevé, symbole de complétude.

Quand je suis entrée dans la laverie, Armand était assis sur le banc qui barrait la pièce, me tournant le dos.

— Vous voilà de retour, a-t-il dit sans bouger.

— Comment saviez-vous que c'était moi ?

— Ce n'est pas vraiment l'heure de pointe pour une laverie. La plupart des gens sont chez eux, en famille, alors que vous, qui n'avez aucune liaison, si je ne me trompe, vous êtes peut-être en chemin vers un bar, ou justement jusqu'ici.

Sa remarque m'a piquée au vif mais j'ai laissé filer.

Il s'est retourné en éclatant de rire. Il avait des dents très blanches, très petites par rapport à sa carrure, avec un espace de deux ou trois millimètres entre chacune. Des dents de fille, écartées, genre publicité de cinéma. Cette vision m'a troublée et je l'ai aussitôt refoulée.

– J'ai des racines, ai-je annoncé en brandissant ma bouture.

– Encore heureux.

– Qu'est-ce que vous insinuez par là ?

– Vos racines, c'est ça, votre problème. Elles vous maintiennent en place et elles vous empêchent d'avancer. Les plantes ont besoin de racines parce qu'elles sont incapables de se déplacer toutes seules. Ça les empêche de se faire renverser par le vent. Tandis que nous, êtres humains, nos racines nous maintiennent inutilement sur place. En général, dans un lieu où nous n'avons aucune envie d'être. Du coup, quand nous essayons de bouger, nous arrachons nos racines et ça fait mal, c'est pourquoi nous finissons par rester où nous sommes.

Armand a tendu la main et je lui ai remis la bouture.

– La prochaine fois, apportez-la dans un sachet en papier ou, encore mieux, enroulée dans une serviette humide. Ne jamais mettre une bouture dans de la Cellophane, sauf si vous voulez l'étouffer.

– Bien sûr, ai-je répondu, trop contente de l'avoir entendu évoquer une « prochaine fois », les dollars dansant devant mes yeux.

Il a levé les racines à la lumière des néons et les a passées sous son nez pour les renifler.

– Cette petite plante vous aime, a-t-il dit en me brandissant soudain la bouture sous le nez, si bien que j'ai reculé d'un pas. Faites gaffe.

– Je croyais que c'était bon signe !

– Quand une plante aime quelqu'un, elle peut avoir envie de lui faire des cadeaux, dont certains sont agréables, d'autres non.

– Genre ?

Il a tripoté les racines blanches avec l'index.

— Cette petite pousse peut vous hypnotiser et vous rendre très cupide, a-t-il répondu en me regardant droit dans les yeux.

Son regard m'a transpercée, et j'ai dû m'accrocher à une table pliante pour ne pas chanceler. Il a fait un pas vers moi. Je me suis penchée en arrière en reculant ; j'étais quasi allongée sur le dos contre la table.

— Vous voulez une nouvelle bouture ? m'a-t-il demandé en s'inclinant au-dessus de moi avec un regard de tueur.

C'était la seconde fois dans la journée qu'un homme me lançait un tel regard, une bouture à la main. Question intimidation, Geoff Evans n'avait rien à envier ni à Exley ni à Armand.

— Oui, j'ai répondu, toujours allongée sur le dos, je veux bien.

Il est monté sur son escabeau et a coupé une nouvelle pousse de son oxalide.

— Celle-ci vous rapportera peut-être encore plus.

— Comment ça, encore plus ?

Je vous ai donné un objet qui a de la valeur et vous n'êtes pas complètement idiote. Question de génération. Une jeune citadine de son temps, comme vous, est avant tout sensible à la valeur monétaire de ce qu'elle possède. Une jeune citadine de votre milieu n'a jamais été formée pour envisager les choses autrement. Elle n'a pas l'éducation nécessaire pour chercher à découvrir d'autres valeurs et d'autres significations. Je vous donne un exemple : je suis sûr que vous ne vous êtes jamais interrogée sur l'origine de notre rencontre, la bizarrerie d'une telle coïncidence, et ses raisons éventuelles... Au contraire. Sinon, vous auriez sans doute réfléchi un peu plus longtemps à cette petite plante que vous avez repérée dans ma vitrine et qui vous a menée jusqu'à moi.

« Voilà, j'ai simplement pensé aux valeurs de votre géné-ration et je me suis dit que vous agiriez en conséquence. Et, comme un bon petit soldat conditionné par l'air du temps, c'est ce que vous avez fait.

Je n'aimais pas du tout l'idée que mon comportement était conditionné par mon époque car je m'estimais beau-coup plus intelligente que la plupart des gens autour de moi. Je n'aimais pas la façon dont il utilisait le mot « milieu ». Dans sa bouche, le terme avait une consonance particulière et me mettait mal à l'aise.

– Nous agissons tous suivant notre époque. Ne vous inquiétez pas. Regardez-moi, par exemple. Je suis un vieux schnock qui cultive des plantes dans une laverie. C'est typique de ma génération, sûrement pas de la vôtre. Je me fiche de savoir que c'est typique, du reste, et vous devriez vous en ficher aussi. Nous dépendons tous de l'air du temps jusqu'au moment où nous en prenons conscience et essayons de changer, si nous en avons la volonté.

– Je pourrais changer si je le voulais.

– C'est difficile de changer, très difficile. Très peu de per-sonnes en sont capables.

Armand a tendu la main, la bouture au creux de la paume.

– Prenez-la et essayez d'en tirer un peu de fric. Ça ne mange pas de pain. Dites-vous que c'est un cadeau que vous offre ma petite fougère de feu.

J'ai pris la bouture. Je savais, vu le ton de son laïus, que ce n'était pas le meilleur moment, mais je n'ai pas pu résister et je lui ai demandé si je pouvais voir ses neuf plantes.

– Pas aujourd'hui.

– Dans ce cas, je peux vous poser une question ?

— Allez-y.

— Pourquoi neuf plantes ? Pourquoi pas trois ou vingt ?

— Bonne question. Je commençais à m'inquiéter que vous ne me l'ayez pas encore posée. Je vous explique : chacune de ces plantes détient la clé d'une des neuf aspirations les plus importantes chez l'être humain. Soit, dans le désordre : la fortune, le pouvoir, la magie, le savoir, l'aventure, la liberté, l'immortalité, le sexe et, bien sûr, l'amour. Ensuite, il y a le nombre neuf. C'est un nombre qui a plusieurs caractéristiques. Par exemple, n'importe quel nombre multiplié par neuf donne une somme dont les chiffres font neuf si on les additionne. D'où l'appellation « nombre mathématique ». C'est un symbole de vérité inaltérable. L'essence de la complétude. Un cercle parfait, une boucle qui finit toujours par être bouclée. C'est extraordinaire, vous ne trouvez pas ?

— Je n'y avais jamais pensé, mais c'est extraordinaire, en effet.

— C'est pourquoi toute personne qui possède neuf plantes peut s'estimer comblée. Elle obtiendra tout ce qu'elle souhaite dans la vie, du moins selon le mythe. Mais il faut posséder les neuf plantes en même temps. Une seule plante peut être d'un grand secours si elle est entre les bonnes mains, mais la combinaison magique de neuf, elle, est imparable. Qui que vous soyez.

— J'ai réussi à obtenir des racines, maintenant, j'aimerais bien voir ces neuf plantes. Vous m'aviez promis que je pourrais.

— Ce n'est pas le bon moment.

— Quand est-ce que ce sera le bon ?

— Revenez à l'aurore ou au crépuscule, au moment où les énergies masculine et féminine se rejoignent, parfaitement égales, sans que ni l'une ni l'autre ne soit plus forte. C'est à ce moment-là que l'on apprécie le vrai pouvoir des plantes. Sinon, vous n'auriez que la moitié de la combinaison. Vous venez de trop loin pour ne voir que la moitié, vous êtes d'accord, non ?

Je ne demandais qu'une chose, voir les plantes. Une par une, combinées, regroupées, à n'importe quelle heure du jour ou de la nuit, peu importe, je voulais juste les voir.

Alors que je m'apprêtais à repartir, au dernier moment, je me suis arrêtée.

– Pourquoi moi ? Pourquoi voulez-vous me les montrer à moi ?

– Parce que je vous aime bien.

– Ça ne suffit pas.

– Parce que vous êtes entrée dans ma laverie.

– Je ne vous crois pas.

– Ça fait trente ans que je cultive des plantes dans ma laverie. Et je n'ai rencontré que dix personnes capables de changer au cours de toutes ces années. Vous en êtes.

– Quel rapport avec le fait de voir les plantes ?

– Les plantes vous transformeront, si vous l'acceptez. Et je compte sur vous pour que vous changiez.

– En quoi cela vous regarde-t-il, que je change ?

– Parce que nous en bénéficierons tous les deux. Vous peut-être plus que moi. Mais peut-être pas. Ça dépend dans quelle mesure vous changez, et dans quel sens.

J'ai quitté la laverie et couru jusqu'au marché vert en essayant d'évacuer de mon esprit tout le galimatias d'Armand. Essoufflée, j'ai mis ma nouvelle bouture sous les yeux d'Exley. Il n'en revenait pas.

– Je vous en propose trois cents.

– Vous aviez dit cinq.

– Je ne suis pas sûr qu'elle en vaille cinq cents, a-t-il répondu en roulant la pousse entre les doigts.

– Le prix dépend de la qualité, vous êtes d'accord ?

– Bien sûr.

J'ai regardé la bouture, elle m'avait l'air parfaite. Elle était longue, bien verte, et encore humide. Tout ça me semblait bon signe.

Exley a passé un bras autour de moi pour m'attirer à lui. Il a posé une main sur ma tête.

– Écoutez-moi bien, a-t-il dit. Vous n'y connaissez rien. Ce n'est pas une bonne bouture, ni une bouture de qualité moyenne, c'est une bouture parfaite, d'une perfection absolue. Saine, solide, vivace et prête à pousser. Vous ne connaissez vraiment rien aux plantes, n'est-ce pas ?

– Pas grand-chose, mais je m'y connais un peu en calcul.

Exley m'a serré la main en me remettant les billets au creux de la paume.

– En attendant de nouvelles aventures, a-t-il ajouté.

– Nouvelles et nombreuses.

– Une laverie, vous disiez ?

– Ouais. Direct de la Colombie à la laverie.

– Et si nous allions direct au restaurant ce soir ?

J'ai quitté l'étal de plantes pour aller faire le tour du marché, avec cinq cents dollars en poche et un rendez-vous avec Exley. Jamais de ma vie je n'avais gagné de l'argent en y prenant autant de plaisir.

J'ai croisé un tas de gens qui se baladaient avec leurs poussettes, ce qui, d'habitude, me fichait le moral à zéro, mais pas ce soir. Ce soir-là, j'adressais de larges sourires aux bébés et aux parents.

Puis je suis passée devant le comptoir de saumon d'éle-
vage, sans faire la grimace en voyant le poisson tiède et mou
au fond des casiers immondes. Je me suis même offert une
tasse de jus de carotte chez le M. Carotte dont la centrifugeuse était couverte de pulpe, comme s'il ne l'avait pas
rincée de l'année. Le jus était délicieusement sucré.

Le comptoir des tartes aux pommes a produit sur moi
l'effet recherché : j'avais l'impression d'être saine, de prendre
soin de moi. J'ai fouillé au fond de ma poche pour trouver
deux dollars, de quoi payer la tartelette qu'on me tendait.
J'ai sorti à la place un billet de cent, quand une pluie
d'énergie positive m'est tombée dessus à la pensée du nouveau tournant de ma vie à venir. Bonnes intuitions, tarte
bio, bébés, je me sentais soudain magnanime. Aussitôt, j'ai
décidé de partager mes gains avec Armand plutôt que de
les garder pour moi. Je serais équitable et grand seigneur. Je
lancerais mes affaires avec Exley en partageant les bénéfices
avec Armand, et nous serions trois à en profiter. J'ai achevé
mon tour du marché avec ce sentiment de satisfaction que
l'on a quand on vient de faire un choix éthique.

Rendez-vous galant

Le papillon sautille sur une fleur à la faveur du clair de lune, dépose un grain de pollen ou s'accouple avec la fleur, puis s'en va. Nous, êtres humains, agissons de la même manière, sauf que nous dînons ensemble auparavant. C'est une longue histoire, mais, pour faire court : un rendez-vous galant est la réunion de deux, voire plusieurs personnes qui dînent ou déjeunent ensemble en bavardant, afin de savoir s'ils se supportent assez pour polliniser à la faveur du clair de lune.

E xley m'avait donné rendez-vous à la Strip House de la Douzième Rue. Le lieu avait beau être un des meilleurs restaurants de viande du quartier, dont les filets sont tendres comme du beurre fondu, je trouvais le choix curieux. Les murs du restaurant étaient peints en rouge foncé. Les lumières étaient tamisées, couleur jaune moutarde. L'atmosphère était plutôt romantique, mais un peu sinistre. Imaginez que vous receviez une douzaine de tulipes noires, superbes, mais, hélas, pas les belles tulipes jaune vif que vous espériez.

Il était déjà là, assis au bar, quand je suis arrivée. Comme il avait le dos tourné, j'ai pris le temps de l'observer. Il ne buvait rien, ne parlait à personne, même pas à sa voisine, une femme plutôt jolie qui regardait de son côté. Il attendait. J'aurais pu rester là longtemps. J'éprouvais une certaine excitation à le regarder sans qu'il le sache, mais c'était un peu vache, alors j'ai fini par y aller.

J'ai d'abord remarqué ses mains. Elles étaient beaucoup plus blanches que le reste de sa peau, à cause des gants de jardinage qui les protégeaient des rayons de soleil. C'était la première fois que je les voyais ainsi, sans protection. Elles étaient plus menues et plus fines que je ne l'imaginais, comme si c'étaient ses gants qui travaillaient plus que ses véritables mains.

Il avait retroussé les manches de sa chemise bleu clair, révélant ses bras bronzés. Le bleu de sa chemise assorti à ses yeux me donnait l'impression d'être en plein air et d'admirer le ciel. Je me demandais s'il en avait conscience. Ce n'était pas le genre d'homme à avoir ce style de préoccupation, en apparence, ce qui signifie que c'était sans doute le cas.

— Vous avez toujours voulu faire ça, ai-je demandé une fois que nous fûmes assis, vendre des fleurs ?

Il a éclaté de rire en roulant ses manches un peu plus haut, comme prêt à passer à l'acte.

— Vous voulez savoir si j'ai jamais eu un peu d'ambition ?

— Pas du tout, ce n'est pas ce que j'insinuais.

— Personnellement, j'estime que cultiver et vendre des plantes tropicales à New York ne manque pas d'ambition, loin de là. Je dirai même plus, c'est un vrai défi.

J'étais peu habituée à rencontrer des gens comme Exley, dont l'idée d'ambition et de défi n'était pas nécessairement liée à l'argent.

— Les gens des villes ont soif de nature, a-t-il repris en prenant un petit pain pour le beurrer. Ils salivent littéralement dès qu'ils voient un peu de nature, comme devant un bon petit plat. Les plantes, ça peut rapporter gros, dans une ville comme New York. Vous avez déjà vu les gens, ici, quand ils sont face à la nature ?

— Pas vraiment, non.

— Moi, si. Je les observe toute la journée. Ils font le tour du marché vert en s'exclamant *Ooohhh, t'as vu cette tomate ?* Ou *Aahhh, regarde cette tulipe sublime !*

— Et alors, ils apprécient, non ?

— Ce n'est pas tant ce qu'ils disent que le ton sur lequel ils s'extasient. On dirait qu'ils n'ont jamais vu une fleur ou un légume authentiques. La surprise totale. Une espèce de choc face au miracle de l'existence de la nature. Au début, ça me rendait triste. J'avais envie d'importer un petit bout de la Terre pour que les gens ne soient plus aussi surpris. C'est comme ça que j'ai commencé.

— La nature ne me manque pas.

— Bien sûr que si, c'est pour ça que vous êtes attirée par moi. Vous avez besoin de croire au mythe de l'« homme de la nature ». Voilà ce que je représente pour vous. Quelque part, dans votre for intérieur, les hommes vous manquent. J'ai vu les types dans votre quartier, ceux qui vont faire leurs courses au marché vert. Je sais ce que je vaux au yeux d'une femme comme vous.

Je l'avais sous-estimé, à en juger par sa clairvoyance sur ce dont j'avais besoin.

— Jamais mariée ?

— Si, quatre ans.

— À quoi ressemblait votre mari ?

— À un alcoolique.

— Hum. Vous avez eu des enfants ?

— Non. Il en voulait, mais j'avais peur, il buvait trop.

Je suis restée un instant silencieuse en me rappelant une conversation que j'avais eue avec mon ex-mari.

— *Si tu me quittes, je n'aurai jamais d'enfants.*

— *C'est pas ma faute. J'en voulais. Tu as voulu attendre, attendre, attendre... Je ne sais pas ce que tu attendais.*

— *Si je n'ai jamais d'enfants, c'est à cause de toi. Sache-le. Je veux que tu vives avec ça en tête.*

— *Si tu avais eu un enfant, comme toutes les femmes, je ne partirais pas. J'aurais une raison pour rester.*

— *Si tu buvais comme tous les hommes, j'aurais eu un enfant avec toi. Sauf qu'avoir un enfant de toi signifie que j'aurais dû donner son biberon à un second bébé.*

— *Tu me traites de bébé ?*

— *Je te traite d'alcoolique.*

— C'est pour ça qu'il est parti ? m'a demandé Exley. Parce que vous ne vouliez pas avoir d'enfants ?

— Comment savez-vous que c'est lui qui est parti ?

— Vous avez l'air un peu sur la défensive.

— Il s'est justifié sous prétexte qu'il était tombé amoureux d'une autre. Mais, un an plus tard, il l'a quittée.

— Je parie que ça vous a fait plaisir.

— Super plaisir, j'ai répondu en souriant.

Je n'avais jamais confié à personne ce que je venais de confier à Exley et je n'étais pas très à l'aise. Non pas parce que je n'appréciais pas la conversation, au contraire, mais parce qu'on venait d'échanger de l'argent. L'argent : telle était la raison pour laquelle nous étions assis face à face dans ce restaurant.

— Pourquoi sommes-nous ici ? ai-je demandé tout de go. À cause de nous ou à cause de la bouture ?

— Alors, vous imaginez un avenir possible ?

– Stop. Je voudrais savoir pourquoi vous êtes assis en face de moi dans ce charmant restaurant.

– D'accord. Je suis ici à cause de vous. Et aussi à cause des boutures. Ou peut-être parce que les boutures me sont arrivées par votre intermédiaire, ça vous va ?

– J'ai acheté ma première plante grâce à vous. Vous êtes conscient de ça ?

– La toute première ?

– Oui. L'oiseau de paradis est la première plante que j'aie jamais possédée.

– Dans ce cas-là... j'étais votre premier..., a-t-il commenté en souriant.

– C'est pour ça que je suis ici.

– Et le type qui vous a donné les boutures. Le type de la laverie ?

– Armand ?

– Vous l'aimez bien, non ?

– J'aime bien sa laverie. Je ne sais pas si je l'aime, lui.

– Pourquoi ?

– Il est bizarre. Il vit sur la planète Mars. Mais sa laverie est l'endroit le plus extraordinaire que je connaisse, avec du gazon vert, des coquelicots rouge vif, de la lavande, de la verveine citronnelle, des palmiers...

– Ça m'a l'air fabuleux.

– Le type fait pousser de la mousse. Je ne peux pas rester insensible face à quelqu'un qui cultive de la mousse sur le sol de New York.

– On dirait un jardin de conte de fées.

– Ouais. Un jardin de conte de fées bourré de machines à laver.

– Quand j'étais gamin, mon père m'expliquait que les fées vivaient au fond de trous dans la mousse, autour des souches d'arbres. Des familles entières de fées. Et si je m'allongeais sur le sol et regardais dans les trous, je les verrais, sauf qu'elles n'acceptaient de se montrer qu'aux tout petits enfants.

– C'est peut-être pour ça que vous aimez les plantes, parce que, quelque part, vous croyez qu'il y a des fées qui y vivent.

– Peut-être que vous aimez la laverie parce qu'il y a réellement des fées dans la mousse.

– Qui sait ?

– Il faut que je vous avoue un truc, pour une fille qui n'a jamais eu de plantes, vous êtes étrangement attirée par elles et par ceux qui en vivent.

– Parlez-moi de ces fameuses neuf plantes.

– Je ne les ai jamais vues. Vous vous en êtes approchée plus près que moi.

– Pas vraiment. Armand refuse de me les montrer. Il les cache dans une réserve fermée à clé au fond de sa boutique.

– Pas bête, s'est exclamé Exley en passant la main dans ses cheveux, soulevant les mèches supérieures blondes et révélant une chevelure plus sombre en dessous. Ces neuf plantes sont particulièrement belles et dangereuses (il a plongé ses yeux dans les miens), comme un bon amant. Personnellement, j'en ai vu une de près. Et j'ai entendu parler de deux autres, c'est tout.

– Laquelle avez-vous vue ?

– Une plante qu'on appelle *Sinningia speciosa*, ou gloxinia des fleuristes, ou encore gloxinia élégant, la plante du coup de foudre. Le mythe veut que quiconque la trouve tombera amoureux de la première personne qu'il verra.

– Quelle a été la première personne que vous avez vue ?

– À l'époque, j'étais tout seul en pleine jungle, au Pérou, à la recherche de plantes.

– Vous étiez au Pérou à la recherche des neuf plantes ? Dieu du ciel, vous êtes vraiment accro !

– La première fois que j'ai vu un gloxinia, il n'y avait personne autour de moi dont je puisse tomber amoureux. Un peu plus tard, je suis rentré en avion, mais je ne suis tombé amoureux de personne. Et, quand je suis arrivé aux États-Unis, la première personne que j'ai vue, c'est Jimmy, le mec qui vend du cidre derrière moi au marché. On n'est pas tombés amoureux, si vous voulez tout savoir.

– Alors vous pensez que c'est pipeau, cette histoire ? Vous n'y croyez pas ?

– Je crois qu'il faut avoir les neuf en même temps. Elles ont moins de pouvoir quand elles sont isolées.

– C'est ce que m'a dit Armand.

Exley a dodeliné de la tête sans le vouloir.

– Est-ce que quelqu'un connaît ces neuf plantes ? ai-je repris. C'est écrit dans un livre, un poème ?

– Non. C'est difficile à savoir. La légende veut qu'elles varient suivant les époques, et la seule façon de les découvrir, c'est qu'elles se montrent à vous. Or elles ne se montrent qu'aux personnes qui sont prêtes.

– Prêtes dans quel sens ?

– Je ne sais pas exactement. J'imagine que la personne doit être assez évoluée, ou quelque chose comme ça.

– Comment pensez-vous qu'Armand les a trouvées ?

– C'est sans doute les plantes qui l'ont trouvé. Imaginez si c'était le contraire : la terre entière irait s'installer dans les forêts tropicales et les jungles d'Amérique du Sud et d'Océanie.

– Et vous, quand vous étiez au Pérou ?

– J'étais jeune et idiot. Je pensais qu'on pouvait les dénicher comme ça.

– Et les deux autres, dont vous avez juste entendu parler ?

– Tout ce que je sais, c'est que l'une est une espèce de cactée, mais il y en a des millions. L'autre est un genre qui fleurit la nuit. Une femelle qui éclôt la nuit et se referme le jour, comme la plupart des femelles.

J'ai souri en croisant les bras et en resserrant mon pull autour de moi.

– Ne vous recroquevillez pas comme ça ! a réagi Exley.

Il a décroisé mes bras avec ses mains blanches.

– Il fait froid.

– Ça va mieux ? m'a-t-il dit en me frottant les épaules.

– Pas vraiment.

Il m'a attirée contre lui et m'a embrassée. Je suis tombée des nues. J'ai toujours détesté les baisers au restaurant. Cela me gêne vis-à-vis des autres, ceux qui n'ont peut-être personne dans leur vie, ceux qui sont plus âgés, dont l'époux ou l'épouse a disparu, tout simplement ceux qui vivent seuls.

Exley se fichait des gens autour de nous et il m'a encore embrassée. Il fleurait un doux mélange de beurre et de miel à cause des petits pains, et, quand il s'est retiré, ma bouche est restée ouverte malgré moi, comme si elle en redemandait.

Il s'est calé au fond de sa chaise.

– Vous avez plus chaud ?

– Beaucoup plus.

– À l'époque, on disait que les neuf plantes assuraient la vie éternelle à celui qui les possédait.

J'ai songé à Armand en me demandant quel âge il pouvait bien avoir puisqu'il avait les neuf.

— Aujourd'hui, a repris Exley, la légende a évolué et s'est adaptée, et on dit qu'elles apportent l'abondance sous différentes formes, comme l'amour, l'argent, ou même les enfants.

Je me suis rappelé la queue devant la laverie, tous ces gens qui venaient consulter Armand. Ils lui apportaient de l'amour, de l'argent, et, d'une certaine manière, c'étaient ses enfants.

— Pour résumer, ces plantes apportent ce que la personne désire le plus ardemment.

— Pourquoi ne sont-elles jamais arrivées jusqu'à vous, à votre avis ?

— Je me pose la question depuis longtemps. J'ai fait tout ce que j'ai pu, pourtant. Il y a des gens qui passent des années, voire leur vie entière, à exercer leur esprit, à essayer d'atteindre le niveau de conscience qui attirera les plantes à eux. Certains vont vivre auprès d'un gourou en Inde, ou en Amazonie, auprès de chamans, de guérisseurs et de toutes sortes de sorciers. Mais c'est extrêmement difficile d'attirer les neuf. Croyez-moi, plus d'un en est mort.

Pour une légende ?

— Certains sont morts pour moins que ça.

Une fois sortis du restaurant, Exley ne cessait de m'attirer contre lui, devant chaque entrée d'immeuble de la Troisième Rue, entre la Cinquième Avenue et University Place. Nous nous embrassions avec passion, pour célébrer les plantes, le mythe de l'immortalité, l'amour et la procréation, les chamans, les *curanderos*, et les boutures de la laverie de Lower East Side.

Il m'a prise entre ses bras et j'ai reconnu le parfum de la terre fraîche sur sa veste. J'ai ouvert les trois premiers boutons de sa chemise et enfoui mon visage contre sa poitrine couverte de poils doux comme l'herbe en été.

C'était le premier homme que j'embrassais depuis mon divorce et j'avais l'impression que tout ce que j'avais enduré en avait valu la peine. Que si je n'avais jamais rencontré mon mari et divorcé je n'aurais jamais connu le bonheur de partager au coin d'une rue le baiser le plus langoureux du monde avec un vendeur de plantes.

— Je voudrais te montrer un truc, lui ai-je soudain proposé en lui prenant la main. Viens.

— Où vas-tu ?

— Viens, suis-moi.

Quatre avenues et mille baisers beurre et miel plus loin, nous sommes arrivés à destination.

— Voilà, ai-je annoncé, non sans une certaine appréhension. La laverie.

Exley a reculé d'un pas pour avoir une vue complète. On devait avoir l'air de deux cinglés, tous les deux, là, bouche bée face à la vitrine graisseuse et fêlée de cette vieille boutique. Il a sorti un briquet de sa poche et s'est approché de la vitrine. Un coup de pouce, et il a illuminé l'oxalide avec son briquet, comme une rock star avant de tirer sa révérence.

— Voilà. Ma fougère de feu, ai-je murmuré.

J'avais le sentiment d'offrir à Exley le plus beau cadeau du monde.

— Elle est superbe. Vraiment. Merci de me l'avoir montrée, m'a-t-il dit en se retournant vers moi. Merci de m'avoir montré une telle merveille.

Nous nous sommes éloignés et je l'ai pris par la main, que j'ai gardée jusqu'à ce que nous arrivions chez moi.

Quand nous sommes entrés, l'oiseau de paradis gisait sur

le sol. Ses longues feuilles étaient plus ou moins broyées, et dans une drôle de position, sûrement très inconfortable. Le parquet, autour, était couvert de terre.

– Il faut la rempoter. Ça t'ennuie si je le fais tout de suite ? m'a-t-il proposé.

Il a lâché ma main et remis d'aplomb l'oiseau avant de remettre la terre dans le pot.

– C'est la première fois que ça lui arrive. Le croton est déjà tombé, mais l'oiseau, jamais.

Je l'ai tiré par la main pour qu'il se lève. J'ai passé un bras autour de ses épaules et murmuré à son oreille :

– J'ai tout ce qu'il faut, le terreau, les sécateurs. Je sais ce que c'est que la masse racinaire. Je te promets, je m'en occupe dès demain matin.

– Pardon, c'était plus fort que moi. C'est un de mes bébés.

– Ne t'inquiète pas, il ne lui arrivera rien, je veille sur lui.

– Je te fais confiance.

Il m'a prise dans ses bras et m'a transportée jusqu'à mon lit. Maintenant qu'elles avaient un peu de terreau, j'appréciais ses mains, moins blanches. Il pouvait tout faire avec des mains pareilles : construire des cabanes, peindre, planter des arbres, et exprimer tout ce qu'il avait besoin d'exprimer. Délicatement, il s'est mis à me caresser, comme je caressais les feuilles de mon oiseau de paradis. Il me parlait avec ses mains, vraiment, et j'ai compris à quel point cela me manquait que personne ne me parle jamais comme ça.

Il a pris une brosse de bébé, très douce, sur ma commode. Il s'est assis derrière moi sur le lit, a poussé de côté mes cheveux et a brossé la peau sur mon dos. C'était si bon.

– On dirait une brosse à champignons, a-t-il dit, qui

permet d'enlever la couche supérieure pour que la peau soit plus exposée et plus sensible. À vif.

Il s'est penché par-dessus mon épaule et a commencé à me frotter les seins, puis penché en arrière pour me brosser les cheveux.

— Je te cultive, a-t-il chuchoté. Je déblaie tout ce qui est ancien. Pour créer une nouvelle peau, de nouveaux cheveux, de nouvelles cellules, une nouvelle personnalité.

— Je ne suis pas une plante.

— Si. Tes cheveux, par exemple, poussent à partir de racines, et ils sont longs et brillants si tu les entretiens comme il faut. Et moi, je t'entretiens au niveau des cellules. Cette pellicule extérieure, a-t-il ajouté en passant sa main sur ma peau, c'est comme un sac qui te maintient en un tout, pour que tu sois toi-même. Mais je rêve d'être plus près de toi que de ta simple peau.

Il m'a fait l'amour, lentement. Grimpant en moi, s'enracinant, semant, comme s'il remontait dans le temps. Plus près de moi que de ma simple peau.

Aimer un homme à travers les plantes était une expérience unique, si naturelle que c'était presque un renoncement. On était si loin de tout qu'il n'existait pas encore de nom pour ce nouveau fétichisme.

Le lendemain, David Exley ne m'a pas appelée. Ni le surlendemain. Ni le jour suivant... Il me manquait. Il me manquait déjà vingt-quatre heures plus tard, une heure plus tard. C'était le premier homme avec qui je couchais depuis mon divorce, et, parce qu'il m'avait aimée de façon si singulière, j'avais le sentiment que c'était la première fois, peut-être l'unique. Même Carlos, le portier, avait fini par me gratifier d'un regard enjoué qui ne respirait pas la pitié. Il fallait que je revoie Exley. Plus jamais je ne supporterais de voir la pitié briller dans les yeux de Carlos.

Trois jours plus tard, j'ai décidé que j'avais attendu assez longtemps pour ne pas enfreindre les règles de la décence new-yorkaise. Je suis allée au marché vert.

C'était un samedi, le jour le plus fréquenté de la semaine, et le marché était bondé. J'ai cherché Exley du regard, mais son stand n'était pas à l'endroit habituel. Désorientée, j'ai essayé de me repérer par rapport aux boutiques alentour. De l'autre côté de la rue, j'ai aperçu le Barnes & Noble, juste à droite, et le *deli* Raja, en biais. Le type qui vendait des oranges de Californie était là, mais pas d'Exley.

Il est assez fréquent que les vendeurs se déplacent dans un marché, à la recherche de ce qu'ils appellent l'« emplacement stratégique », mais jamais Exley n'aurait raté un samedi, le jour le plus rentable.

J'ai remonté tout le marché, l'équivalent d'environ trois pâtés de maisons, en dévisageant chaque vendeur. J'ai regardé derrière chaque étal, jusqu'au fin fond du marché. Plus de la moitié des vendeurs proposaient des plantes, alors ce n'était pas une mince affaire, mais, après avoir parcouru deux fois le marché au peigne fin, j'ai dû me rendre à l'évidence : pas le moindre signe d'Exley.

Je suis allée chez Jimmy, qui tenait le stand de cidre, à la place de celui d'Exley.

– Vous ne savez pas où est passé David Exley par hasard ?

– Le mec qui vend des trucs des tropiques ?

– Oui, le type blond qui tient le stand de plantes tropicales, en général juste ici.

– Nan. Tout ce que je sais, c'est qu'il m'a dit que je pouvais prendre sa place. D'habitude, je vends mon cidre direct du coffre de ma camionnette. Je peux vous garantir que c'est chiant. Ça fait deux jours qu'il est absent, du coup, je me suis incrusté.

– Combien de temps ?

– Combien de temps quoi ?

– Il vous a dit que vous pouviez prendre sa place ?

– Pour toujours. Il m'a dit que s'il partait il ne reviendrait jamais.

– Il vous a dit ça quand ?

– Je ne sais plus. Il y a quatre, cinq jours, une semaine peut-être. Samedi dernier, je crois.

– Samedi dernier, il vous a dit qu'il ne reviendrait plus ?

Je n'ai pas attendu la réponse. J'ai filé à la laverie. Je n'avais pas couru depuis des lustres et j'étais à bout de souffle au bout d'un pâté de maisons, mais j'ai maintenu le rythme, les mains sur la poitrine, comme une petite vieille.

J'ai tourné au coin de la Douzième Rue et de la Première Avenue, à deux pas de la laverie. J'ai été rassurée de voir les signes de l'installation d'une brocante de quartier – c'était un samedi après-midi. Des dizaines de personnes s'affairaient, sans doute à la recherche du meilleur emplacement pour leur stand, prêts à vendre leurs T-shirts *I love NY* pour adultes et pour enfants, bébés compris. Dans une heure, l'air fleurerait bon la saucisse italienne, le poivron vert et l'oignon frits sur des hibachis posés un peu partout, et les visages des enfants seraient couverts du sucre glace des *funel cakes* [1]. Tout semblait parfaitement normal, et je me suis accordé une pause, les mains sur les genoux, pour reprendre ma respiration, avec de la sueur qui me coulait dans les yeux.

---

1. Sorte de grandes bugnes originaires de Pennsylvanie, à l'origine importées par les immigrants hollandais.

Je venais de commencer à marcher quand j'ai senti que j'écrasais quelque chose. J'ai soulevé le pied et découvert un énorme éclat de verre sous ma basket. J'ai levé les yeux vers la laverie. Toute la rue scintillait, tel un immense diamant. Le trottoir et la chaussée étaient jonchés de verre. Ce n'était pas une foire de quartier qui se préparait, c'était la scène du crime. Et c'était déjà trop tard.

J'ai aperçu la vitrine de la laverie brisée en mille morceaux derrière la foule, ainsi que le ruban jaune fixé autour.

J'ai essayé de me frayer un chemin, mais soudain ma vision a flanché. J'ai paniqué, j'imaginais déjà Armand grièvement blessé. Tout le quartier était là, je ne voyais plus rien.

Je me suis reprise et j'ai pu atteindre la vitrine béante. Des bouts de verre pendouillaient de la charpente métallique. Lentement, j'ai levé les yeux au plafond, terrorisée à l'idée de découvrir les plantes exposées au vent et au froid.

C'était pire que ce que je redoutais. Les ampoules des néons étaient brisées ou complètement explosées. Des bouts de fil de pêche oscillaient au plafond, dont on avait arraché les plantes. Il y avait de la terre partout. Elle avait dû se déverser quand les pots avaient été renversés.

Toutes les plantes, celles qui étaient accrochées au plafond et celles qui étaient posées sur les machines, gisaient au sol, déchiquetées, piétinées, au milieu de lambeaux de mousse, comme un patchwork multicolore.

Des roses de haie et des roses grimpantes étaient écrasées sous les sèche-linge, telles des taches de sang. Armand m'avait expliqué qu'il les conservait près des sèche-linge car la chaleur favorisait leur parfum.

Du *Nicotiana sylvestris* broyé traînait sur la table pliante. Armand m'avait expliqué que le parfum musqué de ce tabac sylvestre était le seul qui couvrait l'odeur de javel.

De la bergamote fuchsia, près d'être pollinisée par les abeilles d'Armand, gisait au sol. Les abeilles tournoyaient en bourdonnant, à la recherche d'une fleur pour y déposer leur pollen.

Un immense ficus se dressait au milieu de la pièce, seul, intact, tel le témoin du carnage.

Comme toutes les plantes étaient à terre, j'ai aperçu la réserve d'Armand. La porte, arrachée de ses gonds, était de guingois, avec un trou parfaitement rond au centre, que seule une scie circulaire avait pu faire. Contrairement à la pièce principale, la réserve était impeccable – et complètement vide. Pas la moindre trace d'effraction sur le sol ni dans les coins. Pas la moindre poignée de terre.

Les neuf plantes avaient disparu.

J'ai plongé la tête dans mes mains. Rien n'avait été volé, sauf les neuf plantes. Même pas le vieux tiroir-caisse en cuivre.

Soudain, j'ai vu Armand, qui sortait d'un fourgon de police. Il a soulevé le ruban jaune et noir qui entourait la laverie comme un essaim d'abeilles et est entré. J'ai soupiré de soulagement. Je redoutais qu'Exley n'ait cherché à lui nuire.

– Il faut absolument que je lui parle, ai-je hurlé à un des officiers de police.

– Halte-là ! m'a répondu le flic en hurlant lui aussi.

Armand s'est retourné, a tendu la main sous le ruban et m'a prise par le bras pour me serrer contre sa poitrine.

– Le type qui a acheté la bouture d'oxalide..., a-t-il murmuré.

J'ai hoché la tête.

Il m'a serrée plus fort contre lui.

– Vous lui avez parlé des neuf plantes ?

– Non.

– Alors comment était-il au courant ?

Je ne pouvais pas me résoudre à lui avouer que c'était moi qui avais mis Exley sur la piste.

– Vous ne lui avez rien dit ?

– Que vous les aviez, c'est tout. Mais pas où elles se trouvaient, ai-je menti. Il s'en fichait, d'ailleurs, ai-je menti une seconde fois. Pour lui, c'était une vaste plaisanterie, une vieille légende de bonne femme pour les gens toqués de plantes, un mythe.

– Cette légende de bonne femme vient de me coûter une vie entière de boulot.

J'avais les larmes aux yeux, moi qui n'avais pas pleuré depuis si longtemps. Jamais de ma vie je n'avais causé de tels dégâts.

J'imaginais Exley face à laverie, bouche bée devant la beauté resplendissante de la fougère de feu. Je l'imaginais garer sa camionnette blanche dégueulasse devant la laverie et balancer un gros bloc de ciment contre la vitrine. J'ai entendu la vitre exploser et voltiger dans la laverie et sur le trottoir. Je savais que je serais longtemps hantée par le fracas.

Quand j'ai appris la vérité, plus tard, j'ai découvert que je m'étais trompée. Il avait percé un petit trou circulaire juste assez grand pour passer la main et ouvrir le vieux verrou à l'intérieur. La vitre avait explosé plus tard, avant de s'écrouler autour du trou.

J'ai tâté les billets au fond de mes poches et compris qu'Armand avait raison : l'oxalide m'avait rendue cupide. Elle m'avait hypnotisée, moi, et elle avait hypnotisé Exley.

– Je vous propose des réparations, ai-je annoncé à Armand. Je vous rembourse et la vitre et les plantes.

– Je vous ai surestimée. Je vous croyais plus maligne. Pas de quoi avoir honte, cela dit. Nous sommes ce que nous sommes, jusqu'au moment où nous ne le sommes plus. La prochaine fois, vous serez moins naïve, et moi aussi.

J'ai sorti les billets de ma poche.

– C'est ce que m'a rapporté la bouture.

Il a pris l'argent en secouant la tête. Sans un mot, il est repassé sous le ruban jaune et noir pour aller retrouver les siens, toute la petite clique du quartier qui s'était rassemblée sur le trottoir.

Je l'ai entendu réconforter les uns et les autres, mais je savais qu'il avait le cœur brisé. Ses plantes étaient ses tuteurs, ses amis, son lien avec ses voisins. Quant aux neuf plantes, elles étaient irremplaçables.

J'ai jeté un dernier regard sur la laverie. Elle ressemblait à une banale laverie d'East Village. Avec son carrelage éraflé, ses grosses machines grisâtres, ses annonces gribouillées à la hâte, punaisées sur les panneaux de liège, ses vieilles tables pliantes en plastique blanc toutes craquelées.

Pour la première fois, j'ai mesuré tout le soin, toute l'attention qu'il avait fallu pour créer cette laverie unique.

Je viens de détruire un îlot de beauté, ai-je songé en empruntant le chemin du retour. *Il est impossible de revenir sur certaines choses, et je n'arriverai jamais à réparer la perte d'Armand.*

Un jour, il m'avait dit, cela me semblait très, très longtemps auparavant, que si je mentionnais l'existence de ces neuf plantes à quiconque jamais je ne pourrais les voir. Il avait raison. À présent, lui non plus ne pourrait pas les voir.

Rose floribunda

Ses fleurs au doux parfum sont abondantes,
son toucher est soyeux et velouté, son pouvoir sur les sens
est enivrant, mais la rose floribunda cache bien son jeu.
Car c'est une variété coriace, résistante à la maladie,
très épineuse et bien adaptée aux régions froides.
Main de fer dans un gant de velours.

J'étais assise avec Armand sur une caisse de bouteilles de lait orange devant la laverie. Il faisait trop chaud à l'intérieur et je profitais d'un peu d'air frais. Un chêne se dressait face à nous, c'était un des rares arbres de la Douzième Rue, et la rue était encore très calme car il était tôt. Un café à la main, j'étais appuyée contre la toute nouvelle vitrine, claire comme de l'eau de roche.

– Le type qui a cambriolé la laverie vous a offert votre première plante tropicale, et, ne serait-ce que pour ça, vous lui devez beaucoup. Plus que vous n'imaginez.

– Ce n'est jamais qu'une plante.

– C'est lui qui vous a menée jusqu'à moi. Vous n'auriez jamais repéré ma fougère de feu s'il ne vous avait pas donné sa brochure.

– Ça aurait mieux valu pour vous.

Il a agité la main pour me signifier de la boucler.

– Maintenant qu'il a les neuf plantes, votre dette à son égard est plus que remboursée, vous êtes à égalité. Sauf que vis-à-vis de moi...

– Je sais, je suis prête à faire tout ce que vous me demanderez.

– Ne dites pas n'importe quoi.

– Tout.

On a éclaté de rire ensemble et j'ai été soulagée de revoir ses petites dents du bonheur.

– Vous savez pourquoi vous m'êtes redevable, Lila ?

J'ai regardé la laverie vide, un désert de machines grisâtres et de carreaux cassés.

– Ce n'est pas à cause de la vitrine, vous ne l'avez pas cassée, ni de mes plantes, vous ne les avez pas volées, même si elles me manquent atrocement, et je ne m'en remettrai sans doute jamais. Non, vous m'êtes redevable parce que je vous ai révélé quelque chose de fondamental sur vous : vous êtes cupide et désespérée. Voilà pourquoi vous me devez beaucoup. Énormément, même.

La moutarde commençait à me monter au nez.

– Vous êtes tellement âpre au gain que vous avez cherché à monter un petit business au noir à partir de mes plantes. Et tellement avide de rencontrer un homme que vous vous êtes laissé mener en bateau par un dangereux manipulateur. Vous avez été aveuglée par votre désarroi, incapable de le voir venir.

– Je ne suis pas avide de rencontrer un mec, me suis-je défendue en me levant.

– Bien. Dans ce cas, vous me devez encore plus, car j'ai provoqué de la colère en vous et évacué votre tristesse.

– Qu'aimeriez-vous en échange, Armand ? Je vous donnerai tout ce que vous vous voudrez en guise de réparation.

À vrai dire, j'avais surtout envie de lui donner de l'argent et d'en finir une bonne fois pour toutes. Tout cet imbroglio, Armand, les plantes, la laverie, Exley... je n'en pouvais plus. Au fond, ces deux rencontres m'avaient appris à apprécier le confort du monde de la publicité. Certes, il y avait des moments où mon job n'avait rien de très enthousiasmant, mais c'était un boulot tranquille et sûr. Je n'y avais jamais réfléchi, persuadée que le monde d'Exley et d'Armand était plus facile, moins sous pression, plus romanesque.

– Je vous rembourse la vitrine, ai-je répété pour la énième fois. Et je viendrai travailler à la laverie le week-end ou le soir, si ça peut vous rendre service.

– Vous êtes trop gâtée pour travailler dans ma laverie. Vous ne savez même pas comment fonctionne la caisse.

– Je peux apprendre.

Armand a de nouveau agité la main.

– Ne vous inquiétez pas trop pour l'argent. Je suis assuré. Rembourser la vitrine n'est pas un problème.

D'une certaine façon, sa déclaration m'a contrariée. Armand vivait dans un monde tellement éloigné du mien que parfois j'avais l'impression qu'il était irréel... Alors, assuré !

– L'assurance vous verse assez pour couvrir tous les frais ?

– Bien sûr, beaucoup plus, même.

Soudain, un camion-poubelle assourdissant et puant s'est arrêté en face de nous. Le chauffeur a serré le frein à main avant de sauter sur le trottoir.

J'ai secoué la tête en signe de dégoût, et Armand a souri en retirant son café de son sachet de papier brun.

– Ça pue, me suis-je plainte.

Je n'avais qu'une envie, fuir... fuir Armand, la laverie, les ordures.

— Ahh ! C'est pas mal, s'est-il exclamé en respirant profondément par le nez.

Soit il était dingue, soit il avait perdu le sens de l'odorat.

— Ni l'un ni l'autre, a-t-il répondu comme s'il avait lu dans mes pensées. J'ai appris à faire face à l'adversité, contrairement à vous. C'est toute la différence.

— Je ne vois pas pourquoi il se gare sous notre nez, ai-je hurlé pour couvrir le fracas du camion. Il a tout le pâté de maisons pour se garer. Il voit bien qu'on est en train de discuter, non ?

Armand riait, les yeux fermés et ses dents du bonheur offertes au soleil.

— Vous pensez qu'il s'est arrêté ici exprès ? Que vous êtes tellement importante à ses yeux qu'il a décidé de nous empêcher de parler ?

Il se balançait légèrement en gloussant.

— Vous valez votre pesant d'or, quand vous vous y mettez.

— Ça va, tout ce que je voulais dire, c'est qu'il aurait pu s'arrêter un peu plus haut. Ç'aurait été un peu plus courtois.

— Pensez un peu à mes plantes qu'on a arrachées à leur habitat naturel, la forêt tropicale, la jungle, le désert. Elles arrivent à survivre au milieu des odeurs et du tumulte de la ville. Elles se déploient. Elles grandissent. Elles ne se recroquevillent pas et ne font pas le gros dos en réclamant de rentrer chez elles. Elles s'adaptent. (Il s'est penché vers moi en ajoutant :) Vous voulez savoir quel est leur secret ?

— Vous les avez toutes perdues, ai-je répondu. Je me fiche de savoir quel était leur secret.

— Le secret dont je vous parle est simple comme bonjour,

et pourtant très difficile à expliquer. Je vais essayer parce que je vous aime bien, et je vois que vous êtes affectée.

– D'accord, mais vous avez intérêt à crier assez fort pour couvrir le boucan de tous ces maudits camions.

– Tant mieux, j'adore crier.

Il s'est redressé et a hurlé :

– Si vous percevez le silence alors que vous êtes réveillée par le fracas des camions-poubelles, dites-vous que vous avez du pouvoir. Si vous devinez les étoiles dans un ciel saturé par les lumières des gratte-ciel, vous avez encore du pouvoir. Si vous sentez le parfum de la forêt sous la puanteur d'une décharge publique, vous avez du pouvoir. Conclusion : ne laissez jamais ni les aléas de la vie ni les gens qui vous entourent vous dicter ce que vous voyez, ce que vous sentez, ce que vous percevez ou entendez.

Armand hurlait à s'arracher les poumons.

– Pourquoi l'éboueur vous imposerait-il toute cette puanteur ? Cette nourriture qui se décompose, qui pourrit ? Pourquoi nos urbanistes nous empêchent-ils de contempler les étoiles ? Et pourquoi ce bandit du marché d'Union Square me priverait de mes plantes tropicales ? Pourquoi ? Vous êtes sensible. Vous pouvez faire revivre mes plantes ici même, a-t-il ajouté en me tapotant la tête. Allez, imaginez toutes les plantes que vous voulez. Et maintenant ouvrez les yeux et regardez-les, attentivement, jusqu'à ce que vous ayez l'impression de vivre au milieu d'elles. Ne soyez pas esclave de ce que vous imposent les autres. Vous n'êtes pas dépourvue d'esprit, et, si vous l'utilisez à bon escient, vous êtes libre !

Armand s'est rassis sur la caisse de bouteilles de lait. Il avait l'air revigoré. J'étais épuisée.

– Venez, j'ai une fleur qui vous expliquera tout ça beaucoup mieux que moi.

Nous sommes entrés dans la laverie et il me l'a montrée. C'était une rose, une seule, délicate, dans un petit pot posé au sommet de la caisse. La première plante qu'il avait achetée depuis le cambriolage.

– Emportez-la chez vous. Placez-la devant une fenêtre et ouvrez la vitre pour laisser entrer le froid. Mettez de la musique violente à côté. Arrosez-la chichement et accordez-lui à peine un rayon de soleil. Vous verrez, elle se portera comme un charme !

« Elle est beaucoup plus fragile que vous, mais vous serez surprise de voir tout ce qu'elle supporte. Elle arrive à préserver sa beauté et sa finesse dans les pires conditions. Elle s'adapte ! C'est la grâce incarnée. Observez-la et tâchez de découvrir son secret. Si vous l'examinez suffisamment longtemps, elle vous apprendra à rester en paix, où que vous soyez, comme ici, devant un camion-poubelle assourdissant, après un cambriolage... Vous avez compris ?

– Oui.

– Ah ! comme toujours, ma petite rose est plus efficace que moi pour faire passer un message.

– Mais je voudrais faire un geste, réparer maintenant ce dont je suis responsable. Je n'ai pas envie, pas la patience d'apprendre à me recentrer.

Armand a retiré ses lunettes de soleil jaunâtres et s'est assis sur le banc, au milieu de la laverie. Il me dévisageait de ses yeux cuivrés.

– Vous tenez vraiment à me rembourser ?

– Plus que jamais.

– D'accord. Il y a une chose que vous pouvez me donner.

– Tout ce que vous voudrez.

– Dans ce cas-là, je choisis un paiement différé.

J'ai eu un peu le vertige, comme la première fois, quand il avait brandi la fougère de feu sous mes yeux.

– Vous voulez que je vienne travailler ici le soir ?

– Non, un peu plus que ça.

– Je ne peux pas venir dans la journée à cause de mon job. Mais je peux vous trouver un stagiaire, un étudiant de NYU qui viendrait faire un peu de ménage et de rempotage.

– C'est très simple. J'aimerais que vous m'accompagniez au Mexique pour m'aider à retrouver les neuf plantes.

– Au Mexique ?

– Vous n'imaginez quand même pas qu'on trouve des plantes tropicales aussi précieuses à New York !

– Le voyage prendrait combien de temps ?

– Impossible à dire. On rentrera une fois que les neuf se seront révélées à nous. Ça dépend d'elles. Pas de nous.

– Je ne peux pas quitter New York comme ça ! J'ai un boulot, un appartement, certains engagements.

– Je ne vais pas perdre mon temps à essayer de vous convaincre. Vous m'avez demandé plusieurs fois ce que je voulais, je vous ai répondu.

J'ai fermé les yeux – je voyais déjà un nouveau tour de la roue de la fortune se profiler face à moi.

– Mes plantes n'étaient pas tout à fait ordinaires, vous savez.

– Je sais.

– Elles étaient légendaires. Elles incarnaient la voie du neuf. La voie du désir du cœur.

– Pensez-vous qu'Exley va obtenir tout ce qu'il veut maintenant qu'il les a ?

– Non, on ne peut pas les voler. Il faut les mériter.

– Comment les avez-vous méritées ?

– Je n'ai pas eu à les mériter. Je suis leur gardien. C'est mon job.

– Et la laverie ?

– C'est simplement le lieu où j'avais décidé de les conserver.

Je me sentais de plus en plus mal.

– Venez avec moi au Mexique. Faites ça pour moi, et pour vous.

– Pour moi ?

– La légende dit que si les neuf plantes sont volées le coupable ne trouvera jamais la paix. Exley est coupable. Et, indirectement, vous l'êtes aussi. Pour rompre le sortilège, vous devez rendre les plantes à leur gardien. Je ferai de mon mieux pour vous aider.

– Je n'en doute pas.

– J'ajoute que vous devez également accomplir ce voyage à cause de votre froideur.

– Pardon ?

– Vous êtes froide. Vous êtes une femme froide sous des dehors aimables. Vous êtes une artiste, un génie de l'apparence, une mise en scène permanente d'un personnage doux et naïf, alors que vous êtes distante, froide et calculatrice. Et dans le genre vous êtes excellente. C'est un réel talent, qui nous sera utile à tous les deux au Mexique.

– Je ne vois pas de quoi vous parlez.

– Bien sûr que si, vous voyez. Pensez un peu à la façon dont vous comptiez m'exploiter, moi, un vieux schnock qui bosse dans une laverie. Tout ça pour le fric. Et vous comptiez exploiter mes plantes. Vous vouliez me duper, alors que je vous ai offert un cadeau très spécial, ma fougère adorée. Voilà pourquoi non seulement vous êtes froide, mais sotte.

— Je comptais vous donner la moitié de l'argent. Je voulais faire affaire avec vous.

— Moi, avec vous ? Vous n'y connaissez rien, aux affaires, et encore moins aux affaires de plantes.

Je n'avais décidément aucune envie d'accompagner Armand au Mexique.

— Par ailleurs, a-t-il repris, le temps de me donner ce fric, ç'aurait été trop tard. Question timing, vous aviez donc tout faux, or le timing est essentiel en affaires.

— Je vais réfléchir, ai-je répondu en tournant les talons. Je vous donnerai ma réponse d'ici peu.

— Un jour, vous m'avez dit que ce que vous recherchiez, c'était l'argent, l'amour et l'aventure.

— C'est vrai, ai-je lancé en me retournant.

— Vous me croirez si je vous dis qu'au Mexique vous trouverez les trois ?

— Je ne suis pas certaine de vous croire.

— Réfléchissez-y et revenez me voir quand vous aurez la réponse. Mais ne tardez pas trop, sinon, je serai déjà parti.

Il a agité le bout de ses doigts qui ondulaient, attirants et répugnants à la fois.

J'ai commencé à m'éloigner, accélérant peu à peu le pas. Jamais je n'irais au Mexique à la recherche de plantes avec Armand.

— Hé ! ho ! l'ai-je entendu hurler, j'ai oublié un truc.

Je me suis arrêtée, essoufflée. Je ne me suis pas retournée. J'étais trop près du but. Presque libre.

— Avant que vous disparaissiez, j'aimerais vous présenter ma femme.

Le mot « femme » a lentement chuté jusqu'au fond de ma conscience. Jamais je n'avais imaginé qu'Armand avait une

femme. Ni une maison. Je l'imaginais vivant seul au fond
de sa laverie avec ses plantes.

Lentement, je me suis retournée. J'avais beau vouloir fuir,
je me suis retournée.

– Je vous demande de m'accorder cette faveur. Elle vou-
drait rencontrer cette fameuse Lila avec qui je baguenaude
depuis quelque temps et qui a ruiné mon business.

J'ai pris une longue inspiration. Je lui devais au moins ça.

La famille des orchidées
(*Orchidaceae*)

*Les orchidées se développent suivant un processus de
sélection naturelle rigoureux, et ce sont des individus rares
qu'il convient de traiter comme tels. Réfléchissez : chacun de
nous, êtres humains, a environ une chance sur un milliard de
devenir vivant. Il en va de même pour les orchidées. Sans
doute est-ce donc parce que nous sommes conscients de la
rareté de chacun d'entre nous que nous sommes tellement
toqués d'orchidées. Pour autant, contrairement à la légende,
les orchidées ne sont pas difficiles à cultiver. Ce sont même
les plantes idéales pour quiconque n'a pas la main verte.
Elles n'ont pas besoin de terreau. Elles n'ont pas besoin
d'engrais. Elles n'ont même pas besoin d'un pot. Tout ce
dont elles ont besoin, c'est d'air. Nous faisons comme si elles
étaient difficiles à entretenir parce que cela nous agrée.
En fait, elles poussent comme du chiendent.*

Armand habitait à Irving Place, dans une très belle
maison qui avait particulièrement bien vieilli. À une
époque, la façade avait dû être peinte en rose, comme les

flamants roses des tropiques. Mais la peinture était largement écaillée et la couleur, passée, se fondait avec le gris du ciment en dessous. Des piliers de marbre se dressaient au sommet des douze marches qui menaient à la porte d'entrée, et deux grosses têtes de lion étaient posées au pied des marches, telles deux sentinelles.

– Impressionnants, non ? m'a lancé Armand en caressant l'une des deux têtes de pierre.

Ils l'étaient. Ils donnaient à la maison un aspect majestueux que n'avaient pas les autres.

– Vous habitez à quel étage ?

– Tous. Vous êtes dans mon hôtel particulier ! À ma génération, on ne vit pas dans des petites boîtes carrées comme à la vôtre. En plus, quand j'ai acheté cette maison, vous n'étiez pas de ce monde et les prix étaient beaucoup plus raisonnables qu'aujourd'hui.

– Mais vous travaillez dans une laverie.

– Je suis propriétaire d'une laverie.

– Pourquoi s'embêter avec le linge des autres si vous êtes à l'abri du besoin ?

– Je vous l'ai déjà dit, je suis le gardien des neuf plantes et j'ai choisi de les conserver dans une laverie. Pendant que je surveille les lessives, personne ne pense aux plantes cachées dans la réserve. Personne ne s'en doute, du reste. La laverie est la meilleure couverture qui soit. De toute façon, ça rapporte. Quelles que soient les circonstances, bonnes, mauvaises, guerre, famine, sécheresse, il y aura toujours du linge sale à laver.

– Vous pouvez embaucher quelqu'un pour s'en occuper pendant que vous soignez vos plantes.

– C'est mon business, et chaque étape des opérations m'intéresse. Il vaut mieux ne pas confier ses affaires aux autres si on veut vraiment réussir. Les gens ne sont jamais aussi vigilants, d'ailleurs, pourquoi le seraient-ils ?

La porte d'entrée était en bois, lourde, cuivrée, absolument superbe contre la peinture rose écaillée. Elle s'est ouverte d'elle-même, comme si elle nous attendait. Dans l'encadrement se tenait une femme toute menue, vêtue d'un kimono de soie noire ajusté. Elle était très bien faite, et chaque courbe de son corps était mise en valeur par une fleur. Elle avait une rose au bout de chaque sein et des marguerites autour de sa taille, particulièrement fine. Elle ressemblait à une mannequin miniature de Yohji Yamamoto, avec quelques années de plus.

– Je vous présente ma femme, Sonali, m'a annoncé Armand en tendant la main vers elle, paume tournée vers le ciel.

– Lila, ai-je répondu.

– Entrez, entrez.

La grosse porte en bois s'est refermée derrière nous, et j'ai suivi Armand et Sonali au premier en montant les escaliers tapissés d'une moquette bleu pâle avec des motifs de roses.

Sonali était une femme très étrange, et pas seulement parce que c'était la femme d'Armand. D'abord, elle devait mesurer un mètre cinquante, à peine. Et peser une petite quarantaine de kilos. À première vue, elle était agréable, avec un visage lisse, la peau d'une couleur légèrement caramel. Pourtant, elle dégageait quelque chose de dur comme l'acier. De roide et immobile. D'inaccessible. De glaçant.

Étaient-ce ses cheveux ? Ils étaient noirs comme le jais et noués en un petit chignon très serré, avec une longue mèche grise qui fendait sa tête en diagonale, tel un éclair, comme si le corps calleux de son cerveau était de traviole ou sa tête coupée en deux.

Ou étaient-ce ses yeux noirs ? Pour une femme qui semblait si douce et si discrète, elle avait un regard très direct. On aurait dit qu'elle avait sur le visage les yeux d'un autre ou le visage d'un autre autour de ses yeux.

Cependant, elle dégageait l'impression d'être tellement sûre d'elle que non seulement elle se fichait de ce que l'on pensait d'elle, mais que la question ne lui venait même pas à l'esprit.

– Vous avez fini de déshabiller ma femme du regard ? m'a interrompue Armand. Autant arrêter tout de suite, car vous ne parviendrez jamais à la cerner.

– Je ne la déshabillais pas du regard.

– Bien, parce que j'aimerais pouvoir lui dire bonjour.

– Je vous en prie.

– Lila nous autorise à nous dire bonjour, a-t-il dit à sa femme.

– Ah, bien !

Il l'a prise contre lui, serrant contre son gigantesque poitrail le corps si menu de sa femme. Il la serrait, la serrait, la serrait contre lui, jusqu'au moment où j'ai commencé à me sentir mal à l'aise. On aurait dit qu'il sortait de prison ou qu'il ne l'avait pas vue depuis des années.

– Je l'embrasse comme ça tous les jours, a-t-il chuchoté au-dessus de sa tête, ce qui n'était pas franchement difficile. Pourquoi attendre d'être séparés ?

J'ai détourné la tête pour échapper à ces effusions et observé la pièce. Elle était couverte de plantes. De longues orchidées à l'allure élégante trônaient au-dessus des miroirs. Ceux-ci étaient posés sur des radiateurs, qui eux-mêmes étaient posés sur les rebords intérieurs des fenêtres, face au soleil.

– Les orchidées sont à ma femme, m'a précisé Armand, en la serrant toujours contre lui.

Enfin, Sonali a daigné se retourner.

– Je vous explique un petit truc sur les orchidées, a-t-elle soudain lancé, ouvrant la conversation comme si de rien n'était et oubliant sa longue embrassade devant une étrangère absolue. Si vous les posez sur des miroirs et devant les fenêtres, la lumière du soleil se réfléchit sur elles. À certains moments de la journée, elles sont inondées de soleil, même par en dessous. Et elles poussent comme des fleurs sauvages. Elles se croient en pleine nature, très libres sexuellement.

– Depuis combien de temps vous intéressez-vous aux orchidées ?

– Oh, depuis toujours, il y en certaines que j'ai depuis plus de vingt ans. Je ne me souviens plus. Les orchidées aiment cette maison, comme nous, d'ailleurs. Elles se sentent chez elles. Nous veillons à ce qu'elles aient toute la lumière et la chaleur nécessaires, et elles veillent à ce que nous ayons notre content de beauté. C'est un parfait pas de deux.

Soudain, elle s'est détournée pour embrasser Armand, et j'ai eu peur de ne plus revoir son visage de la soirée.

– Je n'avais jamais pensé à la beauté en termes de besoin, ai-je dit, assez fort, pour essayer de les séparer.

– Oh, que si ! s'est-elle exclamée contre le ventre de son mari, ses paroles à moitié étouffées. C'est pour ça que nous avons besoin des artistes et des plantes. La beauté est aussi importante que le sommeil, la nourriture ou le sexe.

– Surtout le sexe, a renchéri Armand.

– Comme les plantes ne se déplacent pas, elles se servent de leur beauté pour nous attirer, pour que nous les soignions, comme les bébés qui se font tout mignons et câlins pour obtenir ce qu'ils veulent.

– Le sexe est au cœur de tout, a répété Armand en la serrant contre lui.

– Ernesto, arrête !

– Ernesto ?

– Ce n'est pas son vrai nom, mais je l'appelle comme ça quand il ment. Comme *ernest* veut dire « honnête », c'est une manière de le rappeler à l'ordre.

– Sonali est une vraie plante. Vous avez vu comment elle est habillée ?

J'ai regardé son long kimono noir, qui n'avait rien de plantesque.

– Pensez à la rose floribunda que je vous ai donnée. Chaque pétale attire le regard vers ses organes génitaux, au centre, tout en les cachant. De même, les vêtements de Sonali attirent le regard tout en cachant ses organes.

Merci. Je n'avais aucune envie de songer aux organes génitaux de Sonali.

– De même que les pétales de la fleur titillent l'abeille, les vêtements devraient titiller notre regard. On se trompe rarement en prenant exemple sur la flore.

– Ne l'écoutez pas. C'est parce qu'il est amoureux, a coupé Sonali.

– Et, croyez-moi, elle sait y faire, a-t-il ajouté.

– Depuis combien de temps vivez-vous ensemble ? ai-je demandé.

– Depuis l'enfance, a répliqué Armand, et nous sommes toujours des enfants.

Ils ont ricané comme deux garnements farceurs.

– Venez, m'a dit Sonali, je vais vous présenter de façon officielle à mes orchidées.

– Elles viennent des forêts tropicales ?

– Vous voulez savoir si je les ai achetées chez un de ces vendeurs qui déciment nos forêts pour les collectionneurs obsessionnels, comme dans l'histoire du *Voleur d'orchidées* ?

– Euh... oui.

– Ça vous plaît, de voir une superbe panthère noire qui tourne en rond dans sa cage ?

– Pas vraiment.

– Ou un ours qui danse avec une muselière ?

– Bien sûr que non.

– Et ces ours polaires, assis sur ces blocs de glace minables derrière des barreaux ?

– Non.

– Alors, pareil pour les orchidées. La flore de la forêt tropicale appartient à la forêt, pas aux habitants de New York.

– Mais comment avez-vous eu les vôtres ?

– J'attends que la pépinière les cultive suffisamment longtemps. Je ne les achète que quand je suis sûre qu'il y en a assez pour que l'espèce ne disparaisse pas, tout ça pour satisfaire mes caprices. Cela dit, je reconnais que les plantes exotiques peuvent susciter une convoitise inattendue.

– C'est la première fois qu'elle le reconnaît, a fait remarquer Armand. Elle doit vous apprécier.

– C'est une orchidée ? ai-je demandé en indiquant une petite plante brune particulièrement moche.

– Une *Maxillaria tenuifolia*, a répondu Sonali. Une de mes préférées. Cette petite orchidée brune est une espèce en soi. Elle n'est pas aussi spectaculaire que les hybrides, mais elle procure beaucoup de satisfaction. Elle a un charme très puissant. Rapprochez-vous, sentez.

Je me suis penchée au-dessus de cette plante hideuse.

– Elle sent la noix de coco !

– C'est merveilleux, non ? Elle n'est pas obligée de déployer des couleurs chatoyantes ni de sublimes gerbes de fleurs. Les papillons qui la pollinisent se manifestent la nuit, et elle utilise son parfum pour les attirer et les séduire, comme nous pour attirer les hommes dans une boîte de nuit ou dans un bar.

« Si vous observez attentivement une orchidée, vous en apprendrez beaucoup sur la façon dont elle est pollinisée. En général, les fleurs blanches, roses et vert pâle se font polliniser la nuit, parce que leurs couleurs sont facilement repérables à la lumière du clair de lune. Le papillon se glisse discrètement jusqu'à la fleur au cœur de la nuit, comme un amant. Il se pose sur elle, dépose son pollen et s'en va. Nous avons toutes vécu ça, non ?

– Oh oui, ai-je répondu en pensant à Exley.

– Les orchidées aux couleurs plus fortes, elles, sont pollinisées par les papillons de jour et les oiseaux. Les premiers préfèrent le rouge et l'orange. Les abeilles adorent l'orange et le jaune, toutes les nuances, jusqu'à l'ultraviolet.

– Comme les hommes qui aiment les vêtements colorés.

– Tout à fait. Les pétales de couleur sont les atours dont la fleur se pare. L'insecte doit se frayer son chemin à travers eux pour obtenir ce qu'il veut, comme un homme passant la main sous les volants de la jupe d'une femme.

– Je vous avais prévenue, a coupé Armand, elle vous rendra folle avec ses images sexuelles.

– Arrête, Armand, a-t-elle lancé d'une voix au timbre si érotique que moi-même je fus excitée.

– Sonali pourrait parler des années entières d'orchidées. Sans rire, des années ! Ça fait au moins dix ans qu'elle ne me parle que de ça.

– C'est vrai ?

– Elle parle à travers les lèvres de l'orchidée, comme j'aime à le dire.

– Laisse-moi finir, Armand. Elle n'a pas encore vu la plus belle.

À vrai dire, je l'avais vue, et j'étais fascinée. C'était une fleur dont les pétales étaient d'un rose fuchsia inouï.

– C'est une fleur très sexy. Une *Lycaste skinneri*, l'emblème national du Guatemala. Elle est assez commune, mais en même temps particulièrement attirante. J'aime beaucoup ce mélange, à la fois facile à trouver et superbe. Je l'adore parce que c'est ma plus ancienne, celle que je connais le mieux. Mais ce n'est pas la plus belle.

Sonali m'a montré le croquis d'une fleur qui semblait plutôt banale. Elle était très près du sol, et ses feuilles s'enroulaient en spirale sur elles-mêmes.

– Qu'est-ce que c'est ?

– Ma chérie. La seule, l'unique plante que je rêve de voir de mes propres yeux. La plante de la passion, qui n'a pas de nom.

– Mais d'où vient-elle ?

– On dit qu'elle a complètement disparu, qu'il n'en reste plus une seule en vie sur la Terre. Même son nom a disparu. Personne ne la connaît plus. Nous n'avons plus la moindre trace d'elle, nulle part.

« Ses feuilles circulaires forment une sorte de mandala. Elles s'enroulent en tournoyant comme les différents niveaux de l'esprit et forment un trou noir au centre. Et ce trou est le passage qui permet d'accéder à l'univers. Il représente les possibilités infinies de l'esprit humain. C'est l'image parfaite de ce que nous sommes au fond de nous. Un cadeau de la nature. On dit qu'elle n'existe plus, mais je suis sûre qu'elle demeure quelque part.

Le visage de Sonali s'était assombri.

– Un jour, je la trouverai pour toi, a murmuré Armand, le visage enfoui contre son chignon. Je te le promets.

J'étais tellement absorbée par le rêve d'Armand et de Sonali et l'histoire de la plante de la passion que soudain j'ai hurlé en entendant un klaxon derrière moi.

– Ma chérie, je suis désolée, s'est exclamée Sonali. J'aurais dû vous prévenir. C'est Marco.

– Ravie de vous rencontrer, a dit Marco avec une voix d'enfant.

– C'est un plaisir, ai-je répondu, troublée de découvrir un homme assis sur un coussin au milieu du salon. Il avait une longue barbe noire et un gilet de velours marron élimé, serti de petits miroirs. Une orchidée se réfléchissait dans chaque miroir.

– Il a la voix aiguë parce qu'il parle très peu, m'a expliqué Sonali.

Marco a pris un hautbois, et un long sanglot a retenti.

– Il vit ici avec vous ?

– Il joue pour mes orchidées. Je l'ai embauché il y a des années parce qu'elles l'aiment bien. Cela dit, moi aussi je l'aime. Il faisait la manche en jouant sous nos fenêtres, jusqu'au jour où j'ai remarqué que mes orchidées se déployaient dans sa direction. Toute la maison penchait vers la gauche. Du coup, je l'ai fait monter en lui demandant de jouer sur leur droite, et maintenant la maison est de nouveau d'aplomb.

Le fait est que les orchidées se tenaient parfaitement droites.

– Donc, il travaille pour vous ?

– Il ne travaille pas, il joue.

– Regardez, a dit Marco en indiquant les miroirs de son gilet. Je suis une orchidée.

Tu parles ! Il était sale et poisseux, sûrement pas le genre de type que j'inviterais chez moi. Mais le son de son hautbois était excessivement doux.

– Regardez, vous penchez vers la droite pour l'écouter, m'a fait remarquer Sonali.

Aussitôt, je me suis redressée.

– Tel est son pouvoir. Les gens s'inclinent vers lui. Il a un don très curieux, mais j'avoue que je ne sais pas à quoi il correspond.

– Vous aussi, vous allez au Mexique ?

Bizarrement, j'éprouvais une espèce d'amour pour Sonali. Non pas d'amitié, mais d'amour. J'étais séduite par elle, j'avais envie de la prendre entre mes bras et de la serrer contre moi.

– Vous avez vu l'effet qu'elle produit ? m'a demandé Armand, les yeux dans les yeux. J'éprouve le même sentiment que vous, Lila, en ce moment même, et tout le temps. Chaque seconde de chaque jour.

– Vous venez au Mexique, Sonali ? ai-je répété.

– Oh non, les neuf plantes sont pour Ernesto. J'ai mes orchidées ici, moi. Même si Casablanca me manque. Au fait, c'est le nom de notre maison au Mexique.

Elle a enlacé son mari.

– Pourquoi est-ce que vous n'arrêtez pas de changer son nom ? C'est troublant.

– Je l'appelle Ernesto quand c'est un homme. Sinon, Armand.

– Quand c'est un homme ?

– Oui, parce qu'il l'est rarement, désormais, a-t-elle répondu en soupirant.

– Arrête de soupirer, Sonali. Elle va croire que c'est parce qu'on ne fait plus l'amour.

– Je n'ai pas dit ça.

– Mais c'est ce que tu pensais.

– Armand est loin d'être un homme ordinaire, m'a précisé Sonali. Mais quand même, parfois, c'est juste un homme.

– Fiche-lui la paix, a répondu Armand. Il faut qu'elle rentre et réfléchisse pour décider si elle m'accompagne au Mexique.

– C'est vrai, a renchéri Sonali. Une tasse de tisane de souci vous ferait plaisir avant de partir, ma chère ?

– Non, merci.

– Dans ce cas-là, a-t-elle dit en saisissant une poignée de soucis dans un vase, emportez celles-ci chez vous. Avant de vous coucher, coupez les fleurs, déchirez-les, broyez-les et jetez-les sous votre lit. Les soucis provoquent souvent des rêves prémonitoires. Cela vous aidera peut-être à prendre votre décision.

– Vous comprenez que je puisse hésiter, non ? Je connais à peine votre mari.

– Oh oui, je comprends. Moi aussi, je le connais à peine. En plus, il ne faut jamais s'engager avec trop de précipitation. Mais faites attention, Lila, a-t-elle ajouté sur un ton plus grave. Une fois qu'on a pris une décision, il ne faut plus revenir dessus, il faut persévérer, chercher à atteindre son but, sans regret, et quelles qu'en soient les conséquences.

– Tout le monde a des regrets.

– Non. Les regrets n'affectent que ceux qui pensent qu'ils auraient pu agir autrement. Si vous réfléchissez bien avant de vous lancer, vous n'aurez pas de regrets. Vous saurez que vous aviez pesé le pour et le contre.

J'ai embrassé Sonali avant de descendre, mais elle m'a accompagnée en bas, agitant la main comme Armand, de façon même plus répugnante. J'ai failli m'évanouir.

– Les toilettes sont derrière, m'a-t-elle gentiment indiqué en pointant le pouce.

Incapable de soutenir la vue de ses doigts, je l'ai remerciée et je suis rentrée.

Bébés jaguars

Les Olmèques étaient un grand peuple de Méso-Amérique et formaient une civilisation « première », soit une civilisation n'ayant pas hérité de cultures antérieures. Ce peuple mystérieux affirmait qu'il descendait du jaguar noir, la forme de vie la plus accomplie mêlant, selon lui, l'intellect de l'homme et la force du jaguar. Ainsi les Olmèques déposaient-ils les tout jeunes enfants au milieu de petits jaguars afin que les petits d'hommes s'initient au mysticisme et apprennent les vertus du silence et de l'invisibilité. Les Olmèques ayant disparu sans laisser de traces, ou presque, peut-être cette coutume a-t-elle été probante.

J'avais appelé Kody juste après avoir quitté Armand et Sonali, et je l'ai trouvé assis sur les marches au pied de mon immeuble. Il m'attendait.

– N'y va pas, m'a-t-il lancé au moment où j'ouvrais la porte.

– Arrête.

– Cela dit, c'est quand même sympa.

– Je sais.

À peine entré chez moi, il s'est affalé sur mon canapé en vinyle blanc et a allumé un pétard. Il a coiffé ses cheveux blond argent derrière l'oreille et posé les pieds sur ma table basse en forme de rein.

– Tu portes des Hush Puppies ? ai-je demandé en découvrant les semelles blanc écume de ses chaussures.

– C'est super agréable. Tu me connais, branché total confort.

Je me suis assise sur la chaise Ikea style Adirondack, blanche, avec des coussins bleu Méditerranée, et j'ai commencé à dépiauter les soucis de Sonali, détachant les fleurs avant de les écraser par terre.

– Qu'est-ce que tu fous ?

– Ces fleurs provoquent, paraît-il, des rêves prémonitoires. La femme d'Armand m'a dit qu'elles m'aideront à me décider. Ça ne mange pas de pain, non ?

Kody a pris une longue taffe, continuant à parler sans expirer.

– Tiens, essaie un peu ça. Ça t'aidera encore mieux.

J'ai pris le joint et inspiré.

– Oh, vas-y mollo, avec ce truc ! s'est exclamé Kody. Si tu dois aller au Mexique, tu as intérêt à te méfier de toutes les substances qui viennent de la nature. En Amérique du Sud, ces petites chéries ne sont pas les mêmes que chez nous. Là-bas, les plantes sont de sacrées entourloupeuses, plus malignes que les hommes.

– Allez, dis-moi ce que tu as sur le cœur, Kody.

Il s'est vautré sur le canapé avant de prendre une nouvelle taffe.

– D'accord. Je trouve que l'idée d'aller au Mexique avec un mec qui tient une laverie sur la Première Avenue est une idée dingue, dangereuse, d'une connerie impardonnable, angoissante, et assez débile. En plus, c'est carrément pas le bon moment d'un point de vue professionnel, puisque ça se passe super bien pour nous deux.

– Quoi encore ? Vas-y, crache.

– Je n'ai aucune envie de partager mon bureau avec un total étranger.

– Tu as peur de ne plus oser retirer les raisins secs de ton muffin en les comptant à voix haute un par un ?

Il a souri.

– C'est vrai, j'adore compter mes raisins secs.

– C'est une manie, tu sais. Limite pathologique.

– Je m'en fous.

– Quoi d'autre ?

– Ben, jamais je n'aurais pensé te l'avouer, mais j'ai toujours fondé de grands espoirs sur toi, et, si tu vas au Mexique, là, tu te surpasses. Je ne suis pas sûr de le supporter. Nos relations risquent de changer.

– Tu as fondé de grands espoirs sur moi ?

– J'ai toujours pensé que tu avais le potentiel pour faire mieux que rédacteur-concepteur ou femme de pubard. Tu vaux mieux que ça. Je ne pensais pas être amené à te le dire, mais ta carrière est à un tournant, même si ce n'est pas celui que je pensais.

– Je n'ai pas changé, et, même si je pars, c'est juste un voyage. Je vois ça comme des vacances, pas comme un vrai changement de vie.

– C'est plus qu'un voyage, c'est le Mexique, merde. Tu ne vas pas buller sur les plages de sable chaud en Thaïlande. Tu sais que les Indiens Mayas ont inventé le zéro ? Zéro, ma vieille ! Putain, c'est géant. Ça vaut mille fois toutes les conneries que toi ou moi on a jamais trouvées au boulot.

– Mieux que le calendrier de beaux garçons laitiers que tu avais proposé pour des comprimés de calcium ?

– Ouais, carrément mieux. En plus, le calendrier maya s'arrête au solstice d'hiver, le 21 décembre 2012. C'est bientôt, je te préviens. À en croire les Mayas, la fin du monde aura lieu dans à peine trois ans. Alors qu'est-ce qu'on en a à foutre de ce que tu décides ? Va au Mexique.

– Pourquoi 2012 ?

– Bonne question. Personne ne sait pourquoi. C'est un mystère, on ne sait pas comment ils ont pu calculer la date du solstice d'hiver plusieurs milliers d'années avant. Si j'étais toi, je me tirerais tout de suite. Ta seule chance de survie, c'est peut-être ce voyage au Mexique, justement.

– Tu as fumé.

– Oui. Et comme je suis ton ami et ton partenaire le plus proche au boulot, je t'ai apporté un cadeau de départ.

Il a sorti un livre de son sac à dos : *Guide pratique de survie dans la jungle.*

– Lis-le avant de partir. Ils te donnent plein de super conseils. Il y a des chapitres qui expliquent comment vivre sans électricité, trouver de quoi se nourrir en pleine jungle, construire un feu, repérer les serpents venimeux... Tous les trucs dont tu auras besoin sur place.

– Ne t'inquiète pas, Kody. Je ne pars pas en pleine jungle, je vais chez Armand, il est propriétaire d'une maison là-bas.

– D'accord, mais on n'est jamais assez bien préparé. C'est un surfeur qui te parle : plus tu maîtrises l'environnement naturel, ce que tu vois, ce qui rampe sous terre ou à l'intérieur des éléments, mieux tu te portes. Crois-moi, une fois sur place, on a beau penser connaître le pays, on n'est jamais assez bien préparé. La nature est une vraie salope. Répète après moi : la nature est une vraie sa-lo-pe.

– Je ne demande qu'une chose, Kody, c'est d'aller au Mexique, de payer ma dette vis-à-vis d'Armand, de trouver les plantes et de revenir. Je n'ai aucune envie de savoir ce qui se cache sous terre ou à l'intérieur de tous ces trucs.

Il s'est levé pour aller à la fenêtre.

– C'est la pleine lune. Tu aurais une ampoule de mille watts au plafond, elle serait encore moins forte que la pleine lune, là, à plus de quatre cent mille kilomètres de nous. Sans compter que la lune est capable de provoquer chez nous la passion, le désir, l'imagination, toutes sortes d'émotions. Trouve-moi une ampoule capable de ça.

Il a ouvert la fenêtre et hurlé vers la lune blanche et pleine.

– Alors, tu penses que je devrais y aller ?

– Tu verras la pleine lune de l'équinoxe d'automne, la lune bleue, de superbes lunes, énormes, sans la moindre lumière de voitures ou d'immeubles pour te gêner la vue. Je donnerais n'importe quoi pour voir la pleine lune dans la péninsule du Yucatán.

– Tu es un rêveur. Je n'y vais pas pour observer la lune. J'y vais pour retrouver les plantes qui ont été volées dans la laverie.

– Tu as entendu ce que tu viens de dire ? Heureusement que c'est devant moi, sinon, tu aurais l'air complètement chtarbée.

– Je sais.

– Tu as besoin que je t'aide ? Que je fasse quelque chose pour toi pendant que tu seras partie ?

– J'ai besoin que tu arroses mes plantes.

– Pas de problème.

– Mais il faut suivre mes instructions à la lettre.

– Ouais, ouais, je sais. Les caresser, les frotter délicatement, leur parler, les asperger, tout ce petit rituel de nana un peu craignos, cracra et crapoteux.

– J'aurais aussi besoin que tu m'appelles régulièrement pour me dire ce qui se passe au boulot. Je suis sûre que je vais être virée, mais continue à parler de moi devant Geoff Evans, je ne n'ai pas envie de tomber trop vite aux oubliettes.

– Tu me demandes beaucoup, là.

– C'est vrai.

– Tu es un peu casse-bonbon.

– Merci pour le guide, Kody.

– C'est un super bouquin. Promets-moi de le lire avant de partir.

– Promis. Dès ce soir.

J'ai ramassé les soucis broyés et je les ai jetés autour de mon lit et en dessous. Puis je me suis endormie en lisant le guide de Kody, et, comme me l'avait prédit Sonali, j'ai fait un rêve prémonitoire. Un rêve étrange, mythique, érotique... Suffisamment agité pour me faire sortir de mon lit en pleine nuit et écrire.

J'ai rêvé que j'étais dans la maison où je vivais quand j'étais petite. J'étais allongée sur le petit lit dans ma chambre et je faisais l'amour avec une créature exquise. Une panthère noire superbe. J'étais au-dessus de la panthère, dont les pattes antérieures m'enserraient le dos et les pattes arrière m'enserraient les cuisses.

Mes mains agrippaient les poils soyeux de sa tête et je pressais mon corps contre le sien. Je le frottais contre le sien. Je respirais sa fourrure tandis que nous nous regardions les yeux dans les yeux. Je me sentais profondément en prise avec moi et avec la bête. Ses yeux étaient vert vif. Nous nous dévisagions. Noir et vert contre noir et brun.

Un sifflement a retenti à l'extrémité du lit. Nous nous sommes retournées au même moment. Un serpent s'est dressé. Crocs dehors. Tête en avant. Prêt à l'attaque.

La panthère a grimpé sur moi et caché mon visage sous sa tête. Elle a étendu ses pattes arrière et couvert mes jambes, protégeant jusqu'au moindre centimètre de mon corps. Soudain, le serpent s'est redressé et a frappé, enfonçant ses crocs dans la fourrure noire et douce. Je suis restée indemne.

Le lendemain matin, en me réveillant, j'avais le sentiment d'être invincible. Oui, j'irais au Mexique ! J'irais pour moi, pour Armand et pour les neuf plantes. J'irais aussi pour être sûre qu'Exley n'avait pas gagné.

J'ai couru jusque chez Armand et Sonali pour leur raconter mon rêve et leur annoncer que j'étais prête.

— La panthère noire vit dans la jungle du Yucatán, m'a expliqué Sonali. Elle t'aime. Le Mexique est un pays qui te fera du bien. C'est un rêve de bon augure.

— Où est passé Armand ?

— Il est parti.

— Comment ça ? Il était là hier soir. Il y a dix heures à peine.

— Oui, mais il est parti.

— C'est impossible.

— Ne t'inquiète pas, ma chérie. Je t'expliquerai comment arriver chez nous. La maison s'appelle Casablanca, autrement dit, la « Maison blanche ». Armand t'attend là-bas. Il est en route en ce moment même.

— Je n'y crois pas, il est parti sans moi ! Et si je refusais d'y aller ?

— Pour quelles raisons ? Tu es à deux doigts d'embarquer pour le deuxième voyage terrestre le plus fabuleux de ta vie.

— Je n'ai jamais fait de grand voyage terrestre.

— Bien sûr que si. Nous en accomplissons tous un, mais nous ne nous en souvenons pas. Quel dommage ! Le plus beau voyage de tous les temps est celui que nous effectuons quand nous descendons le canal utérin. Quant à cette expédition avec Armand, si tu as de la chance, elle risque de s'en approcher.

– Dans quel sens ?

– Tu apprendras à vivre comme lorsque tu es venue au monde, quand tout, autour de toi, était une découverte. Et, si tout se passe bien, ta fontanelle, ce léger creux au sommet de ton crâne, sera à nouveau visible, tu seras prête à accueillir tout ce que le monde a à nous offrir.

Sonali m'a tapoté le haut du crâne.

– Combien de temps Armand va-t-il m'attendre ?

– Jusqu'à ce que tu arrives.

– Et si je n'arrive jamais ?

– Jusqu'à ce que la force de son attente force ton apparition, ma chérie.

II
La péninsule du Yucatán

Costa Maya, Quintana Roo, Mexique

*Costa Maya est une petit village de pêcheurs de la
péninsule du Yucatán, dans l'État de Quintana Roo,
au Mexique. La majorité des villageois descend d'Indiens
Mayas, mais on y trouve le lot habituel
d'expatriés alcooliques, de voyous et d'étudiants traînant
sur les plages entre deux semestres universitaires.
Ce lieu dégage une telle puissance que le grand écrivain
Joan Didion a baptisé son unique fille Quintana Roo.*

– T*reinta pesos. Pague ahora por favor*, m'a demandé le
pêcheur. Trente pesos. Merci de payer tout de suite.

J'ai sorti trente pesos de ma banane (Mon Dieu, je n'y
croyais pas, quand je pense que j'avais apporté un sac banane
avec moi !) et je les lui ai remis.

– *Muchas gracias. La última persona que cruzó se parecía
mucho a usted. Y se largó sin pagar.* Merci beaucoup. La dernière personne que j'ai fait passer vous ressemblait beaucoup. Et elle est partie sans payer.

– Elle me ressemblait ?

– *Sí. Blanco. Con las manos muy blancas. Como si el sol se olvidó de ellas.* Oui. Blanc. Avec des mains très blanches. Comme si le soleil les avait oubliées.

Je l'ai regardé droit dans les yeux en tendant les mains. Il a hoché la tête.

– *Sí. Blanco. Las manos muy blancas.*

Il a pris mon sac à dos et l'a jeté dans son bateau, une appellation bien sophistiquée pour un canot à rames bancal, vaguement flanqué d'un moteur. Après plusieurs essais et moult jurons en espagnol, le moteur a démarré et nous avons traversé, de Puerto Juarez à Costa Maya, une eau d'un bleu si électrique qu'on aurait dit qu'on y avait plongé des blocs de Canard WC.

Jamais je n'aurais pensé qu'une telle couleur existait dans la nature, sans intervention de l'homme. Je savais que l'eau de la péninsule du Yucatán était très bleue, mais j'imaginais une nuance plus douce, plus pastel, sous laquelle on verrait le sable et les poissons. Or elle était d'un bleu turquoise qui semblait éclairé par une lumière artificielle, un bleu presque tourmenté, d'une beauté inouïe. J'étais subjuguée. À l'instant, j'ai compris. J'avais pris la bonne décision en venant au Mexique.

La température de l'air montait à mesure que la matinée s'avançait. À 10 heures environ, il faisait déjà très chaud et moite. Une brume bleu-vert planait au-dessus de l'eau. Un calme absolu régnait. Seuls quelques petits poissons sautillaient çà et là. Le canot avançait lentement et j'avais les yeux fermés, quand soudain le passeur s'est levé et m'a précipitée contre le fond de la barcasse en déroulant une bâche au-dessus de ma tête.

– *¡Ballena ! ¡Quédense quietos !* Baleines en vue ! Ne bougez plus !

J'ai glissé un œil sous la bâche et aperçu une baleine grise qui bondissait hors de l'eau. Elle a fendu la brume et jailli en spirale, propulsant tout son corps en l'air, à quelques mètres de nous. Elle était énorme, comparable en volume à un car scolaire, et couverte d'une couche épaisse de bernacles.

J'étais terrifiée. Je n'avais vu qu'une baleine dans ma vie, dans un aquarium, en Floride. Mais celle-ci semblait beaucoup plus grosse. Et beaucoup plus libre. Pour la première fois, j'ai compris à quel point les créatures libres peuvent être impressionnantes et dangereuses.

La baleine a plongé dans l'eau, provoquant une gigantesque gerbe d'eau, comparable à une averse de mousson. J'avais les cheveux, les vêtements et mon sac à dos trempés. Le bateau débordait d'eau.

– *¿Sabe usted nadar ?* m'a demandé le passeur. Vous savez nager ?

On a fini par accoster, brutalement, contre un quai, à Costa Maya, et le pêcheur a balancé mon sac ruisselant comme un filet plein de poisson. J'ai entendu les ampoules de Complexe Revitalisant Nuit du Dr Hauschka cliqueter dans leur boîte en carton.

Et je me suis retrouvée debout sur le quai, seule, dégoulinante d'eau, mon sac à dos plein de verre brisé. J'ai jeté un œil autour de moi. Pas vraiment glamour.

La région avait été baptisée la « riviera maya » pour attirer les touristes, sauf qu'il n'y avait par un yacht, pas un Bikini à paillettes, pas un Martini en vue. Je connaissais la Côte d'Azur française, qui n'avait rien à voir avec ce trou, si ce n'est le nom, « riviera ».

Une ligne de barres en béton grisâtre longeaient le port, toutes identiques. On aurait dit d'énormes cubes d'enfants, sans couleurs, tristes à mourir. Des hommes et des femmes assis autour de tables couvertes de nappes à carreaux rouges et sales, sous des parasols en plastique blanc de mauvaise qualité, agitaient 'leurs serviettes à cause de la chaleur, fumaient, et m'observaient, légèrement intrigués.

– *El café, el mercado, la pescadería*, m'a indiqué le pêcheur en pointant le doigt sur trois blocs en béton. Le café, le marché et la poissonnerie, a-t-il répété dans un anglais plus qu'approximatif.

J'étais incapable de distinguer les trois endroits, cela dit, suivant les conseils de Sonali, je suis allée vers la poissonnerie pour trouver le loueur de voitures dont elle m'avait parlé.

Je suis tombée sur un homme assis derrière un comptoir qui m'a gratifié d'un large sourire. Lui-même était complètement édenté, mais il portait un collier de longues dents de requin pointues et jaunies autour du cou.

– *¿El auto ?*

Il s'est levé, il a fait le tour du comptoir en essuyant ses mains pleines d'écailles de poisson contre son tablier blanc couvert de sang et il m'a tendu une main. Je l'ai serrée en réprimant un cri de dégoût au fond de la poitrine.

– *¿El auto ?* ai-je répété.

– *Ah, el auto, sí, sí señorita.* Un moment. Asseyez-vous, attendez.

J'ai tiré une chaise en plastique blanc près d'une table en plastique et elle a glissé sur le sol graisseux. Je me suis assise et j'ai attendu en essayant de ne pas respirer trop profondément.

– *¿Agua fría ?* m'a-t-il soudain proposé. Un peu d'eau froide ?

– Non, merci, ai-je répondu en découvrant un verre d'eau où flottaient des écailles de poisson. Juste *el auto, por favor.*
– *¿Permiso de conducir ?*
Je le lui ai tendu. Il l'a longuement examiné.
– *Nueva York, ¿hé ?*
– *Sí.*
– *Esa ciudad es muy grande.*
– *Sí.* C'est une très grande ville.
Il a sorti des clés du fond de la poche de son tablier et me les a remises.
– *Nueve dolares* pour une nuit.
J'ai pris les clés en échange d'un billet de cent dollars. Je pensais garder la voiture une dizaine de jours au moins.
– *Por aquí.* Par ici.
Nous sommes entrés dans une immense cuisine en passant devant un groupe d'ouvriers qui transpiraient, tous très petits et l'air maussades. Des raies mantas étaient fixées au plafond, dont les nageoires de quatre à cinq mètres étaient étalées à sècher tels d'immenses cerf-volants vivants. Des requins gisaient sur les tables, la gueule grande ouverte, étonnés d'avoir été pris, semblait-il, comme s'il n'en revenaient pas d'avoir toutes ces dents de scie inutiles.

Enfin, nous sommes sortis par la porte de derrière. Il n'y avait qu'une voiture. C'était une petite Coccinelle Volkswagen, qui m'a immédiatement plu.
– *¿Bueno ?*
– *Muy bien. ¿ Usted sabe donde esta Cabablanca ?* Vous savez où se trouve Casablanca ? ai-je demandé avec mon meilleur espagnol, un vieux souvenir de lycée.
– *Por allí,* m'a-t-il répondu en indiquant la seule route qui filait droit devant nous. *La casa es muy grande, y muy blanca.*

139

Dans ce pays de barres de béton, je ne pouvais donc pas la louper. En plus, elle était juste au bout de la route, a-t-il ajouté. Je suis montée dans la voiture, j'ai balancé mon sac trempé sur le siège à côté de moi et j'ai passé la première. Les femmes assises devant le café bétonné ont agité la main alors que je m'éloignais. Elles étaient toutes sur le même modèle : peau très sombre, robe blanche avec des broderies bleu et rouge et sandales réduites à leur plus simple expression : de longues lanières en cuir nouées entre les doigts de pieds qui montaient sur les mollets jusqu'aux genoux. Rapidement, j'ai souri et tourné la tête. Je n'avais aucune envie de les voir agiter la main, j'avais déjà eu droit aux au revoir de Sonali et d'Armand.

La route de Casablanca aurait mieux fait d'être appelée le marécage ou le bourbier de Casablanca. C'était tout sauf une route, mais une succession de bandes de goudron irrégulières entrecoupées de longs rubans de terre, de sable et de boue. Au début, je croyais que tout ça n'avait aucune cohérence, je me demandais pourquoi certaines parties étaient goudronnées, d'autres non. Mais, à mesure que j'avançais, j'ai remarqué que les parties goudronnées étaient toujours abritées sous des arbres, comme si les ouvriers n'avaient consenti à couler le goudron que protégés par l'ombre. J'avoue que je les comprenais. Il faisait une chaleur d'enfer. Plus de trente-cinq degrés à midi.

À cause de la luminosité et de cette chaleur, la route semblait floue et irréelle, et plus d'une fois j'ai donné un coup de volant alors que je n'avais rien en face de moi. J'avais l'impression de conduire en plein Sahara ou dans une région sans le moindre repère. Cela me rappelait *Un thé au Sahara*, de Paul Bowles. C'était un de mes romans pré-férés, mais je n'étais pas sûre que ce soit bon signe.

La route a fini par tourner et pénétrer sous les arbres ; enfin, je n'étais plus aveuglée ni victime de mirages, et il faisait plus frais. J'ai arrêté la voiture pour consulter la carte que m'avait dessinée Sonali. Je venais d'entrer dans la forêt semi-tropicale qui recouvrait une grande partie de la péninsule du Yucatán.

J'ai aperçu une petite flèche en bas, à droite de la carte. J'ai tourné la feuille et découvert une note écrite à la main par Sonali, à peine lisible. La forêt tropicale, précisait-elle, « est un lieu particulièrement inhospitalier et il est difficile d'y accéder sans guide ». J'ai levé les yeux au ciel en me demandant pourquoi elle n'avait pas insisté sur ce point clé quand on était à New York !

À l'intérieur de la forêt, la route (si tant est qu'on puisse appeler ça une route) était un mélange de terre mouillée et de gadoue. Ma petite Coccinelle bringuebalait tant bien que mal au-dessus d'énormes racines, de rochers et de Dieu sait quoi. C'était clair, ma voiture n'était pas certifiée jungle. J'avançais lentement, le visage plaqué contre le pare-brise pour anticiper le moindre soubresaut. La totale : embarquée dans un parcours surprise au milieu d'un parc d'attractions !

La voiture n'avait pas d'air conditionné, et je roulais la fenêtre ouverte ; des moustiques et toutes sortes d'insectes inconnus se précipitaient à l'intérieur en toute impunité et s'accrochaient à moi tels des auto-stoppeurs en perdition. J'avais du mal à me concentrer sur le volant ; je n'avais qu'une envie, tuer ces bestioles qui me suçaient le sang toutes les deux minutes.

Il y avait pire que les insectes ou la boue : le bruit. Un bruit absolument assourdissant. À côté, un samedi soir entre la Quatorzième Rue et Union Square était une retraite silencieuse en haute montagne.

Des singes, ou du moins ce que j'espérais être des singes, hurlaient comme des déments dans les arbres. Des oiseaux jaune vif volaient très bas et coassaient comme des fous, fonçant contre le pare-brise qu'ils effleuraient avant de virer au dernier moment, comme s'ils filaient sur une autoroute invisible au milieu de la jungle. Ce bourdonnement permanent, ce bruit blanc de millions d'insectes devait être l'équivalent mexicain de la torture par l'eau chinoise.

À un moment donné, le déluge d'insectes, d'oiseaux, de cacas de singes et d'oiseaux était si dense que j'ai dû mettre en route les essuie-glace.

J'avais tout de suite compris pourquoi il était recommandé d'avoir un guide, en revanche, je ne comprenais pas comment quiconque pouvait avoir envie de s'infliger un tel parcours du combattant. J'ai arrêté la voiture et j'ai fermé les yeux un instant. D'après la carte de Sonali, je n'étais plus très loin de Casablanca, à trente-cinq, quarante kilomètres.

– J'y arriverai, ai-je lâché tout haut. Je vis à New York. J'ai traversé le Lower East Side en long et en large, seule, en pleine nuit, à l'époque où le quartier était infesté de dealers d'héroïne et pas de galeries d'art. Je n'ai jamais raté un épisode de *Bienvenue en Alaska*. J'ai lu le guide de survie de Kody de la première à la dernière page. C'est bon, j'y arriverai.

Plus ou moins rassurée, j'ai respiré profondément, redémarré la voiture et continué à m'enfoncer dans la jungle. Je pensais sans cesse à la « jungle », la vraie, mais au fond je ne savais pas si j'étais dans la jungle ou dans la forêt tropicale. J'avais lu dans le guide de Kody que la croissance de la forêt tropicale est limitée par l'ensoleillement faible, mais, si la voûte de la forêt est moins dense, pour une raison ou une autre, toutes sortes de plantes grimpantes, d'arbrisseaux, d'arbustes poussent très vite et créent une jungle au sein de la forêt tropicale. C'était exactement le genre de truc que je traversais. J'étais dans une Coccinelle, elle-même dans une jungle, elle-même au milieu d'une forêt tropicale. Un enchâssement de boîtes dont chacune était toujours plus étroite et plus éloignée de la lumière.

Tout à coup, paf ! en écrasant au moins dix moustiques à la fois, j'ai vu un gamin en face de moi. Il était accroupi, sans doute en train d'observer une bestiole ou de faire ses besoins. Je n'étais pas assez près pour me prononcer.

J'ai klaxonné pour le prévenir, et il a brandi la main, paume en avant, pour me faire signe de m'arrêter, les yeux toujours rivés au sol. Il n'avait pas l'air d'avoir peur ni d'être intéressé, il devait être indépendant, sans famille.

J'ai ralenti, de dix à cinq kilomètres à l'heure, ce qui était risqué vu la boue et le sable, et je me suis approchée. Il y avait d'autres enfants, avec de beaux cheveux noirs brillants, et tous avaient leurs bras maigres et bruns enroulés autour des arbres.

Quand j'ai compris que le garçon ne bougerait pas, j'ai arrêté la voiture. Mon cœur battait à tout rompre, mais pourquoi ? J'ai essayé de me raisonner, c'était un gamin d'un mètre vingt à peine, âgé de huit ou neuf ans. J'étais adulte. Je mesurais un mètre soixante-dix et pesais cinquante-huit kilos.

Je suis descendue de voiture. J'ai été sidérée de voir à quel point la terre était meuble, à mille lieues de la terre « ferme ». On avait l'impression de marcher sur un trampoline. À chaque pas il fallait que je lève le genou très haut.

Une plage de sable me paraissait une route goudronnée à côté.

Le garçon était toujours accroupi. Il a posé le doigt sur la lèvre – ce geste qui signifie « chut » dans le monde entier. J'étais tellement ébahie par l'apparition de son petit corps brun, là, en pleine jungle, que j'ai failli ne pas voir la créature qui se lovait à sa gauche : un énorme serpent couleur de terre. J'ai inspiré... mais je n'ai pas expiré. J'avais présumé de mes forces. Je n'étais pas sûre d'être à la hauteur de ce gamin de huit ans.

Le corps du serpent, immense, était enroulé en anneaux si larges qu'on aurait dit des pneus entassés les uns sur les autres. En tout, une hauteur équivalant à cinq pneus. J'ai prié pour voir les voir frémir en signe de péristaltisme. Au moins, ça voulait dire qu'il n'avait pas faim.

Grâce au livre de Kody, je savais que c'était soit un serpent à sonnette, soit un python. Les illustrations du guide étant des dessins au trait, comme dans une encyclopédie, j'avais du mal à être sûre. Peu importe, tous les deux étaient mortels. Il s'agissait de savoir comment je préférerais mourir : par strangulation ou par empoisonnement.

J'ai reculé d'un pas. Aussitôt, le serpent a dressé sa grosse tête au-dessus de la pile de pneus et sifflé dans ma direction. Pour vous donner une idée, sa tête était plus grosse que la mienne.

À peine eut-il sifflé, une rangée d'enfants a reculé en s'enfonçant sous les arbres, en même temps, comme en natation synchronisée.

J'ai vu la langue du serpent et j'ai eu une violente poussée de transpiration. J'avais lu quelque part que l'odorat des serpents passait par la langue. Pas de panique, on se calme...

Le serpent m'observait à travers la fente de ses petits yeux, quand l'image d'Exley et de ses mains blanches m'a traversé l'esprit un quart de seconde. J'ai secoué la tête pour l'évacuer, imprudente, et j'ai entendu le sifflement de mauvais augure du crotale.

Je me suis figée, tâchant de faire la sourde oreille. Les serpents à sonnette étaient des maîtres en hypnotisme. On disait que si vous fermiez les yeux et que vous écoutiez attentivement le crotale des souvenirs d'enfance vous remontaient à la mémoire et vous retrouviez l'état de bonheur que vous connaissiez quand vous étiez enfant ; le serpent vous berçait jusqu'à ce que vous vous endormiez puis vous tuait dans le plus sinistre des berceaux.

J'ai cherché à reculer, mais j'avais déjà le dos contre la Coccinelle. Le sifflement du serpent se réverbérait sous la voûte de la jungle comme une bande-son circulaire dans une salle de cinéma. L'effet était le même : la bande sonore augmentait la terreur.

Soudain, le garçon a parlé, rompant le moment de concentration le plus intense que j'avais jamais vécu.

– *No se asuste. Mire los árboles, señorita, mire los árboles.* N'ayez pas peur. Regardez les arbres, mademoiselle, regardez les arbres.

Ne sachant à quoi m'accrocher, je me suis concentrée sur l'arbre le plus proche.

– *Suavemente, señorita, mire suavemente.* Délicatement, mademoiselle, regardez-le délicatement.

Que voulait-il dire par « regardez-le délicatement » ? J'ai essayé de détendre les muscles de mon front, mais j'ai dû faire un effort considérable vu l'état de tension de mon corps. Cependant, j'ai eu l'impression que cela adoucissait mon regard.

145

– *Intente olvidarse de la serpiente, y ella se olvidará también de usted.* Essayez d'oublier le serpent et il vous oubliera à son tour.

J'ai tâché de rassembler les bribes de mes trois années d'espagnol au lycée en priant pour ne pas me tromper.

J'avais le regard rivé sur un arbre qui ressemblait à un amandier, en essayant de faire abstraction du serpent. Je scrutais l'écorce, étonnée de découvrir toutes ses fentes profondes et ses crevasses dont certaines étaient assez larges pour contenir des petits paquets. Des paquets de quoi ? me suis-je demandé. J'étais perplexe... Mon regard glissait sur l'arbre tandis que mon esprit se mêlait à lui, l'épousait, jusqu'au moment où j'ai cru être réduite au point de pouvoir pénétrer dans une des fentes. J'étais toujours figée, mais mon corps semblait se détacher de moi. Soudain, je me suis retrouvée les bras enroulés autour du tronc, flanquée des enfants, les bras eux aussi enroulés autour des troncs.

Comment étais-je arrivé jusqu'à l'arbre ? Je n'ai pas eu le temps de m'interroger longtemps, j'ai vu le garçon bondir sur le serpent et le saisir violemment par le cou. La concentration de tous les muscles de ses petits membres était impressionnante. Le serpent a eu les yeux soudain exorbités, et le garçon a lâché prise. Le serpent s'est détendu et s'est enroulé sur lui-même, de plus en plus vite, jusqu'à ce qu'on ne voie plus qu'une trace floue, tel un diable de Tasmanie. Le garçon était immobile. Absolument immobile. Il regardait fixement le serpent, comme si la seule force de son regard suffisait à faire tournoyer le serpent.

C'est un chaman, ai-je aussitôt pensé. Un enfant sorcier.

Le petit sorcier s'est tourné vers moi.

– *El árbol le salvó. Es un abuelo. Es muy viejo. Debe haberle caído bien, o la habría entregado a la serpiente, para matarla y convertirla en parte de la selva. Quizás habría salido mejor parada.* Vous avez été sauvée par l'arbre. Il est grand-père. Il est très vieux. Il doit vous aimer, sinon, il vous aurait donnée au serpent pour qu'il vous tue et vous transforme en un des éléments de la jungle. Peut-être que vous auriez préféré.

J'étais accrochée à l'arbre, paralysée... quand j'ai vu le garçon et ses petits copains se précipiter sur ma voiture.

– Que faites-vous ? ai-je tranquillement demandé, incapable de hausser la voix.

J'entendais à peine mes propres paroles.

– *Se parece mucho al otro*, a fait remarquer le garçon. Elle ressemble beaucoup à l'autre.

Les enfants ont gloussé.

– Quel autre ? ai-je essayé de dire. Aucun son ne sortait plus de ma bouche, mais le garçon avait compris.

– *El Blanco*, m'a-t-il répondu en montrant ses mains. *El que parece que vive en una cueva.* Le Blanc. Celui qui a l'air de vivre dans une grotte.

Je me suis rappelé les mains blanches d'Exley. Était-ce ce à quoi il faisait allusion ? Exley était-il au Mexique ? J'aurais voulu lui poser la question, mais j'étais incapable d'articuler un mot.

Le gamin a chipé mon portefeuille dans mon sac à dos, qu'il a jeté à mes pieds.

– *Déle las gracias al abueló arbol antes de irse. Él le salvó, no yo.* Remerciez l'arbre grand-père avant de partir, c'est lui qui vous a sauvée, pas moi.

Et il a foncé dans la jungle au volant de la Volkswagen comme s'il conduisait une Porsche sur l'autoroute.

Jamais je n'avais éprouvé une telle envie de revoir un ami ou une connaissance. Si Exley apparaissait, je rentrerais sur-le-champ avec lui, sans lui demander de comptes. Je me foutais des neuf plantes, d'Armand et de la laverie. Exley aurait la solution. Il saurait comment s'en sortir. Rien de ce qu'il avait fait ou de ce qu'il ferait jamais n'était si impardonnable. « David », l'ai-je appelé tout bas. Soudain, je me suis tue, terrifiée à l'idée que le serpent était encore dans les parages.

Une heure plus tard, j'étais toujours accrochée à l'arbre. C'était physique, je ne pouvais plus détacher mes bras. J'étais là, debout, au cœur de la jungle, et je parlais toute seule.

– Lâche l'arbre. Il va bientôt faire nuit. Surtout, ne reste pas immobile. Lâche l'arbre...

La peur de me retrouver seule dans la jungle en pleine nuit a eu raison de ma terreur et j'ai desserré les bras. J'avais mal, ils étaient complètement engourdis.

J'ai entendu la voix du garçon résonner dans ma tête : *Déle las gracias al abueló arbol antes de irse* – Remerciez l'arbre grand-père avant de partir.

Vu ma situation, et comme je ne voulais prendre aucun risque supplémentaire, ni blesser rien ni personne que je ne puisse voir ou entendre, je me suis agenouillée. J'ai senti mes genoux s'enfoncer dans la terre en pleine décomposition, à la fois douce et puant la merde et la putréfaction. J'ai embrassé mon vieux grand-père une dernière fois et je l'ai remercié.

J'ai ramassé mon sac à dos. J'ai compris que je revenais à la vie au moment où j'ai entendu les cris des singes dans les arbres. Depuis l'instant où j'avais vu le garçonnet, j'avais été enfermée dans un mystérieux cocon de silence partiel. Je n'entendais plus que lui et le crotale.

D'après le guide de Kody, les singes du Yucatán étaient soit des singes-araignées, soit des singes hurleurs, et il fallait faire attention où l'on mettait les pieds, car ils se soulageaient très régulièrement depuis la cime des arbres. J'errais telle une âme en peine, échevelée, traversant la jungle à pied, seule, en tâchant d'éviter les racines à terre et les cacas de singe dans les airs. Je ne savais plus ni ce que je faisais, ni où j'allais, ni où j'étais, et la carte de Sonali avait disparu avec le petit sorcier.

Je transpirais tant et plus. La voûte de la forêt avait créé de l'ombre, elle maintenait une forte humidité, et l'air était lourd, moite, difficile à absorber par le corps. J'ai pensé aux deux humidificateurs que j'avais achetés pour mon oiseau de paradis en espérant singer cet environnement tropical. La bonne blague...

J'étais troublée d'avoir appelé Exley dans ce moment de panique. Pourquoi lui ? J'étais à la fois furieuse et sidérée, vraiment sidérée : comment une petite amourette avec un homme dont le seul attrait était de ne pas ressembler aux New-Yorkais habituels avait-elle pu m'entraîner au fin fond de cette jungle mexicaine, seule, sans amis, sans nourriture, sans voiture, sans boussole ni aucune protection ? Armand avait raison. J'étais paumée et idiote. Une seule question m'importait désormais : jusqu'à quel point étais-je idiote ? Idiote au point d'être infichue de me sortir de là ?

Et pourtant je continuais à avancer, un pied devant l'autre. J'avais pleinement conscience que la jungle était infestée de panthères, d'ocelots, de jaguars, de tigres, de chauves-souris vampires, de lynxs, de crotales, de lézards, de pumas, de pythons et de dizaines d'animaux, d'insectes et de plantes dangereux et/ou venimeux. J'avais lu la liste dans le *Guide pratique de survie dans la jungle* que m'avait offert Kody, que je considérais désormais comme mon meilleur ami sur terre, non seulement parce qu'il m'avait donné ce livre, mais surtout parce qu'il avait insisté pour que je le lise avant mon départ.

Mers de Lune

La Lune possède deux types de terrain, de très anciens
plateaux accidentés et des marias, plus récentes et moins
irrégulières. Les marias sont des mers formées par
l'impact de météorites ayant creusé des cratères à la
surface de la Lune, mais ce n'est pas ce qui nous intéresse
le plus ici. Les noms que les astronautes et les physiciens
ont donnés à ces différentes mers sont beaucoup plus
fascinants. En voici quelques-uns : mer de la
Tranquillité, mer de la Sérénité, mer de la Fertilité,
mer des Tempêtes, mer de la Paix, mer des Nuées...
Alors comment se fait-il qu'à côté de noms aussi
romanesques et imagés nos mers à nous soient affublées
de noms aussi plats que mer Noire, mer Rouge,
mer du Nord et mer Baltique ?

J e devais marcher depuis deux heures environ quand j'ai
aperçu une clairière. Je ne sais pas comment j'ai fait, mais
j'ai piqué un sprint. En plus, je sentais le talon d'une chaus-
sure coincée dans mon sac à dos frapper et rebondir contre
ma colonne vertébrale à chaque foulée.

La clairière dépassait toutes mes espérances. C'était une

sorte de camping abandonné au bord d'une superbe plage de sable blanc. J'ai arraché mon sac à dos et je l'ai traîné jusqu'à l'eau. Jamais je n'oublierai le bonheur de quitter cet enfer sombre et moite, en putréfaction permanente, et tellement oppressant.

En quelques secondes j'étais passée de ce cauchemar de verdure noire à un grand bleu éclairé par un parfait soleil. Ce fut une renaissance.

La péninsule du Yucatán se trouve au confluent de deux océans : l'océan Atlantique et la mer des Caraïbes. La pointe où ils se rejoignent est un site sauvage superbe. Je suis restée debout au bord de l'eau, admirant les vagues qui jaillissaient, se cognant les unes contre les autres, et créaient une immense masse d'écume blanche dépourvue de direction et de sens. J'imaginais la mer des Caraïbes comme une mer calme, apaisante, et l'Atlantique comme une mer froide, déchaînée, mais au Yucatán toutes deux étaient d'égale violence.

Quatre tentes en bambou battues par les vents étaient plantées le long du rivage. La plage avait dû être beaucoup plus large, sinon, personne de sensé ne les aurait montées aussi près de l'eau. J'étais contente de les avoir découvertes car j'étais sûre que d'ici à six mois elles auraient disparu, emportées par la mer.

Je me suis aventurée dans l'une d'elles. Le sol était de sable et un vieux hamac déchiré était suspendu, protégé par une grande moustiquaire blanche déployée. J'étais rassurée de penser que quelqu'un avait dû habiter sous cette tente. J'ai déposé mon sac à dos sur le hamac pour l'ouvrir et identifier ce qui m'avait martelé le dos. C'était une paire de sandales à talons rouges. J'ai éclaté de rire. Je les avais emportées alors que j'imaginais mon voyage blottie dans mon petit appartement new-yorkais douillet, allongée sur mon lit au-dessus des soucis de Sonali. Je me voyais déjà en train de danser sur les tables dans les restaurants de la riviera maya...

J'ai lâché les sandales et je les ai piétinées pour les enfouir dans le sable blanc – avec rage, je l'avoue –, puis j'ai sorti une paire de ciseaux à ongles et commencé à couper dans la moustiquaire. Mon petit doigt me disait que ça pourrait m'être utile dans la jungle.

J'étais épuisée, explosée de fatigue. J'ai regardé le coucher du soleil couleur citron vert, une nuance qui ne laisserait jamais de me surprendre. C'était le signe que la nuit approchait, et je me suis allongée dans le hamac, la tête sur mon sac à dos, enroulée dans la moustiquaire.

Je me suis très vite endormie, hélas pour peu de temps. Le clair de lune était d'une luminosité insupportable – jamais je n'aurais imaginé ni avoir à décrire une chose pareille ni souffrir d'un tel phénomène. Sans l'ombre d'un bâtiment ni la moindre source lumineuse alentour, la lumière diffusée par la lune était aussi forte que celle du soleil et rayonnait à travers les lattes de bambou brisées de la tente. De quelque côté que je me tourne, impossible d'y échapper. J'ai fini par mettre mes lunettes de soleil, mais les moustiques vrombissaient autour de moi. J'ai abandonné et je suis sortie.

J'ai marché jusqu'au bord de l'eau. Le clair de lune illuminait la surface de l'eau sous laquelle filaient de petits poissons argentés... Je me suis endormie sur la plage. J'ai dû m'écrouler, à bout de forces, et sombrer dans le sommeil aussi sec. Je me suis réveillée au milieu de la nuit à cause d'un tatou qui me grimpait le long de la jambe. Certes, il était inoffensif, mais... beurk, avec sa plaque qui ressemblait à une armure on aurait dit qu'il sortait tout droit de *Jurassic Park*. Il a laissé sur mes mollets une longue trace baveuse.

Dès le point du jour, je me suis tournée du côté de la jungle pour observer le lever du soleil au-dessus de la forêt. Des aras criaillaient, et les arbres s'animaient à mesure que les singes secouaient les branches pour libérer les fruits. Un immense tonnerre montait de la terre sous la pluie de noix de coco et de mangues. Les fruits tombaient les uns sur les autres de façon si jolie qu'on aurait dit une vitrine de Dean & DeLuca. Quand tout à coup, aussi vite qu'elles étaient tombées, noix et mangues se sont volatilisées, des centaines de singes se précipitant des arbres pour se jeter sur le butin. Je n'avais pas peur, sincèrement. Cela me rappelait Canal Street le samedi après-midi, quand la rue est envahie de touristes à l'affût d'affaires chez Fendi ou Prada.

J'ai attendu que les singes s'en aillent et je suis allée ramasser les dernières mangues, trop mûres, celles que ces fripouilles indigènes n'avaient pas jugées assez bonnes pour eux.

Je suis allée me débarbouiller dans la mer. Mon visage picotait à cause du sel. J'ai repris mon sac à dos, enroulé le morceau de moustiquaire autour de moi comme un voile de mariée et je suis retournée au cœur de la jungle.

Si je me souvenais bien, d'après la carte de Sonali, je devais être à une bonne vingtaine de kilomètres de Casablanca. En voiture, ce n'était rien. À pied, c'était une autre histoire.

Cycades

*Vous trouvez que vous êtes vieux ? Les cycades sont
les seuls êtres vivants sur Terre qui jouissent de l'immense
privilège d'avoir survécu à plus de deux cents millions
d'années d'histoire. La comparaison de fossiles de cycades
récemment découverts avec des plantes vivant aujourd'hui
montre que les cycades ont très peu changé au cours
des âges, d'où l'honneur d'être considérés comme les
dinosaures de la flore. Plus encore, quel que soit
le cataclysme qui a provoqué la destruction des dinosaures
– glaciation soudaine, comète dévastant la Terre –,
il n'a pas laissé la moindre trace chez les cycades.
Sacrément costauds, nos petits copains, non ?*

Je n'avais pas fait un mètre à l'intérieur de la jungle quand
j'ai perçu un mouvement, à gauche de mon champ de
vision. Vite, je me suis tournée pour assister à un phénomène exceptionnel : la clôture de vignes de lune. Cette
espèce d'ipomée a des pétales blanc vif qui brillent au clair
de lune et se referment dès le lever du jour. J'étais fascinée,
admirant ces fleurs d'une trentaine de centimètres de largeur, environ la taille d'une assiette, qui s'étaient toutes

repliées en même temps, tel un ballet de portes battantes. Pour moi, les fleurs étaient par définition immobiles, et belles. J'étais surprise de voir celles-ci emportées par ce mouvement confus généré par elles-mêmes.

Sonali m'avait parlé des vignes de lune. Elle m'avait recommandé de ne jamais les couper ni de les déraciner. Je me souvenais exactement de ses mots.

La vigne de cette fleur est un cordon ombilical qui relie les femmes à la lune. Fais très attention à ce type de plantes, car elles bondissent sur toi sous le clair de lune, alors que de jour elles sont éclipsées par des espèces plus bruyantes et plus flamboyantes. Ce sont des femelles. Elles t'aideront à panser les éléments féminins qui sont blessés en toi.

Comment se faisait-il que j'étais capable de citer les paroles de Sonali mot à mot ? Je l'avais à peine vue, mais tout ce qu'elle m'avait dit semblait imprimé à jamais dans ma mémoire.

J'ai attendu que la dernière vigne de lune se referme entièrement et j'ai repris ma route. La forêt était si sombre que je plissais les yeux pour être sûre de ne pas trébucher sur des souches d'arbres, épaisses comme des cuisses d'homme, cachées sous des feuilles, ou ne pas confondre la tête d'un python avec une pierre.

Voilà ce que je craignais dans la jungle : chaque pas était un piège. Avancer demandait une attention extrême, comme à la fac quand je faisais joujou avec la coke. Et le contrecoup, le coup de barre épouvantable, était aussi redoutable.

Mon sac à dos pesait des tonnes. Il me sciait le haut des épaules et bringuebalait dans mon dos dégoulinant de transpiration. Je maudissais Sonali d'avoir oublié de me conseiller d'emporter une torche pour m'éclairer. Je pestais contre

Armand, qui n'avait même pas eu la délicatesse de m'attendre. Et j'enrageais contre Exley à tout propos. Armand avait raison. Ça faisait un bien fou de hurler le matin pour se défouler.

Je me suis arrêtée pour sortir mon portable. J'avais envie de regarder les trois photos que j'avais enregistrées, comme un petit goût de chez moi à l'aube de cette nouvelle journée de marche. L'une des photos représentait Kody en train de manger un muffin, une main brandissant le muffin, l'autre un raisin sec. Sur la deuxième, Exley balayait de la terre sur le parquet de mon appartement ; celle-là, j'allais bientôt l'effacer. La dernière représentait mon superbe oiseau de paradis, même si je n'étais pas d'humeur à admirer un nouveau spécimen vert...

J'ai plongé la main au fond de ma poche et senti mon portable mouillé et visqueux. Je l'ai sorti, mais le clapet suintait. Je ne m'attendais pas à ce qu'il marche vraiment (il n'y avait pas encore de bornes relais dans la jungle !), mais je ne pensais pas non plus qu'il se désagrégerait. J'ai ouvert le boîtier des piles : le liquide acide des piles s'écoulait et rongeait tout l'appareil. J'ai pensé à Geoff Evans brandissant son portable en invoquant *la nouvelle nature. Un produit qui a zéro faiblesse... par définition indestructible.* Quel crétin ! La nouvelle nature n'avait pas survécu vingt-quatre heures à cette humidité mortelle. Et la vieille venait de donner un bon coup de pied dans le cul de la nouvelle.

J'ai frappé du pied de rage – je sais, c'est puéril et dangereux –, mais je n'en pouvais plus de voir que tout, dans ce bourbier puant, se décomposait. Tout. Y compris mon portable, dont j'étais incapable de me séparer. Je l'ai longuement couvé du regard, avec ses piles qui se liquéfiaient et se réduisaient à vue d'œil, et soudain je l'ai jeté. J'avoue...

je lui ai d'abord dit au revoir, ensuite, je l'ai jeté. Mais j'ai veillé à le balancer assez loin pour ne pas déranger les myriades de créatures suspectes tapies autour de moi.

J'ai respiré, lentement, pour me calmer. Je ne pouvais plus me permettre d'avoir de nouveaux accès de rage et de piétinement intempestif ni de jeter mes affaires par-dessus bord. C'était un des avantages de la jungle. Elle m'apprenait à agir avec prudence. Je ne demandais qu'une chose, sortir de là sans déranger la moindre créature en lui marchant dessus, en m'asseyant dessus ou en écrasant son abri avec le pied.

Je devais marcher depuis un bon quart d'heure et déjà mes cheveux et mes vêtements étaient trempés. Non pas trempés comme après une heure de gym dans un club, mais ruisselants : si je les avais essorés, j'aurais obtenu une vraie flaque d'eau. Marcher dans la jungle, c'était un peu comme marcher sous une douche chaude permanente suscitée par notre propre corps.

D'ailleurs, je me demandais comment le mien pouvait contenir de tels volumes d'eau, et s'il m'en resterait suffisamment pour irriguer toutes les cellules qui le maintenaient en vie, quand, soudain, j'ai vu le gloxinia, là, juste en face de moi.

Le gloxinia était la seule des neuf plantes qu'Exley avait vue de ses propres yeux, celle dont il m'avait parlé quand on était au restaurant. Elle avait une belle couleur violette, profonde, et des fleurs en forme de clochette qui la rendaient immédiatement identifiables. *Sinningia speciosa*. La fameuse et légendaire plante du coup de foudre.

Je l'ai longuement observée. Était-ce bon ou mauvais signe que je l'aie découverte alors que j'étais seule ? J'ai déposé mon sac à dos pour en cueillir une. J'ai délicatement tiré sur la tige pour voir où étaient ses racines, mais elles étaient longues et profondément enfouies. Je les ai suivies et j'ai découvert qu'elles serpentaient jusqu'à d'autres racines, épaisses, solides, de ce qui devait être soit un cocotier, soit un gommier.

Agenouillée près de la plante, j'ai frotté les pétales d'une fleur entre le pouce et l'index pour être certaine que c'était un gloxinia. Oui, les pétales étaient doux comme le velours d'un vieux sofa victorien.

J'ai pris mes ciseaux à ongles pour tailler une pousse – un petit tour de passe-passe que j'avais piqué à Armand. J'ai palpé la tige pour repérer la hauteur où couper, car Armand m'avait expliqué qu'il ne faut jamais couper plus bas que là où les feuilles, les fleurs ou les nouvelles tiges poussent comme une fourche à partir de la tige principale. Il fallait fermer les yeux et tâter jusqu'à ce qu'on trouve une petite aspérité, une bosse, qui signalait une nouvelle excroissance, et couper entre les deux, au-dessus de la fourche. Je n'ai pas fermé les yeux, l'environnement était trop hostile, néanmoins, j'ai tâté le long de la tige jusqu'à ce que je trouve un point satisfaisant.

– Ne bougez pas, ne levez pas les yeux, sinon, je vous bute.

Je me suis figée. C'était une voix d'homme, qui parlait anglais avec un fort accent espagnol. Je me suis concentrée sur un ver qui s'acharnait à creuser la terre à mes pieds et qui semblait avoir aussi peur de moi que moi de l'homme invisible.

– Lâchez-moi ces ciseaux, je vous prie.

Je me suis exécutée.

– Levez-vous, bien droite. Redressez le corps en vous appuyant sur les muscles de vos cuisses. Ne bougez pas les pieds, sinon, je leur tire dessus. Croyez-moi, vous ne pourrez plus jamais marcher.

Je me suis lentement relevée en forçant sur les muscles de mes cuisses. L'idée d'avoir les pieds mutilés me fut d'un grand secours, je l'avoue. J'ai levé les bras en les écartant, ainsi que les cinq doigts des deux mains, pour bien lui montrer que je n'avais rien. J'étais épatée de voir les réflexes que j'avais acquis grâce à ma culture cinématographique – films d'action s'entend. Le fait est que je réagissais comme il fallait pour éviter de me faire trucider.

Nous étions seuls. Il n'y avait personne à portée de voix, personne à portée de fusil, personne pour m'entendre si je hurlais. Autant dire que j'étais à la merci de cet homme. C'était cent fois pire qu'une agression en plein New York. Impossible de se défendre par un coup de pied et de s'enfuir en courant. Le type ne cherchait pas à me voler mon argent, sinon, il m'aurait arraché mon sac à dos. Il me voulait, moi. C'était le pompon. Le *Guide pratique de survie dans la jungle* ne contenait nul chapitre sur cette espèce de prédateur.

– O.K., m'a-t-il lancé. Levez les yeux. Les yeux, pas la tête, et regardez-moi.

Il avait un immense fusil de chasse pointé sur moi. Il était canon, sublime. Les deux découvertes simultanées étaient tellement incongrues que j'étais paralysée, décontenancée, incapable de réfléchir à l'un ou à l'autre aspect de la situation. Ni à ma mort. Ni à sa beauté.

Il avait de magnifiques cheveux noirs, souples et brillants, la peau tannée, et un corps musclé mis en valeur par son T-shirt trempé. C'était curieux... une force irrésistible m'attirait vers lui, alors qu'il avait son fusil pointé sur moi.

Il l'a brandi pour tirer vers la voûte de la jungle. Des milliers de créatures se sont enfuies de concert, une gigantesque envolée d'animaux, d'oiseaux et d'insectes fuyant le point où nous étions. Il a fait un pas vers moi, m'a soulevée de son bras libre et m'a déposée environ un mètre plus loin. Puis il a enfoncé le canon de son fusil dans le sol meuble de la jungle.

– Je suis désolé, j'étais obligé. Vous avez failli marcher sur un cycade.

J'ai jeté un œil par terre.

– Il était juste derrière vous. À deux centimètres à peine de votre talon gauche. C'est un arbuste extrêmement rare, et vous avez failli l'écraser en essayant d'arracher le gloxinia. J'ai fait ce que je pouvais pour que vous vous releviez sans faire de dégâts. Si je vous avais simplement donné l'ordre de vous redresser, vous auriez bougé. À un centimètre près, vous détruisiez le cycade.

– Mais qui êtes-vous ?

– Je m'appelle Diego. Je suis un ami de Sonali et d'Armand.

J'étais verte. C'était le cas de le dire.

– Sonali a prévenu Armand que vous arriviez, mais, comme il ne vous voyait pas, il m'a envoyé en éclaireur. Ça ne me réjouit pas non plus, croyez-moi.

– Ah.

– Vous savez, les cycades sont des spécimens rares, sinon, je ne vous aurais pas infligé un tel traitement. C'est une espèce en danger qui existe pourtant depuis un bon bout de temps : deux cents millions d'années. Depuis le jurassique. Beaucoup de gens les convoitent et les arrachent de leur milieu naturel pour les vendre à des prix astronomiques. Les cycades survivent ici, inconscients de la valeur qu'ils représentent. Ça doit être épouvantable à vivre pour eux.

Diego m'a gratifié d'un superbe sourire qui a découvert des dents blanches comme les vignes de lune... Tais-toi, Lila. Tu vas encore te faire avoir par un homme des plantes. Top canon et top gun.

– Je n'en reviens pas que ce soit vous qui m'ayez conduit jusqu'à ce cycade. Je vous remercie.

– Ah !

Ce fut de nouveau le seul mot que j'ai pu articuler.

– J'ai déjà vu des fossiles de cycades, a-t-il continué en s'agenouillant à côté de la plante. Mais je n'en reviens pas d'en voir un vivant. Merci, vraiment.

– De rien.

– Ne dites pas de rien, vous ne vous rendez pas compte. Je vais vous expliquer. Les cycades sont, et ont toujours été, parfaitement adaptés à leur environnement naturel. Ils ont été conçus pour. Combien existe-t-il d'êtres sur terre dont on peut dire qu'ils ont été conçus pour ? La plupart des espèces durent quelques milliers d'années, au mieux, jusqu'à ce qu'une catastrophe les anéantisse. Mais cette plante survit depuis plus de deux cents millions d'années ! Elle a traversé des périodes de glaciation, des chutes de comètes, des tempêtes de sable, des cataclysmes qui ont décimé tous les êtres vivant sur la Terre, sauf elle. Pourtant, elle n'a jamais évolué. Elle n'a jamais grandi, elle ne s'est jamais transformée, n'a jamais eu des ailes, des nageoires, des jambes ou des poumons qui ont poussé. Elle n'a jamais eu à s'adapter. C'est un cas unique. Dans le genre, la perfection absolue.

– Conçu pour, vous disiez ?

– Le cycade est une des fameuses neuf plantes. Ces plantes mythiques pour lesquelles vous êtes venue jusqu'ici. Comme le gloxinia. En résumé, vous vous teniez entre deux des neuf plantes et vous avez failli les tuer en même temps.

Il a éclaté d'un rire très doux, renversant la tête et balayant ses épaules de ses longs cheveux noirs.

– Vous avez failli les tuer, et pourtant vous les avez trouvées. Armand a raison, vous êtes une étrange femme.

– Armand me connaît très mal, alors, ne vous fiez pas trop à ce qu'il vous raconte sur moi.

– Oh, que si, il vous connaît. Il m'avait fait une description parfaite de vous. Il prétend que vous êtes la personne la plus chanceuse qu'il ait jamais rencontrée, et il a raison.

– Ah bon ? Vous trouvez que j'ai de la chance de me retrouver coincée ici, dans cette fichue jungle ? J'ai perdu tout ce que j'avais. Je me suis fait voler ma voiture, mon téléphone portable s'est désagrégé sous mes yeux, je n'ai plus de carte, plus de fric, plus de job, et j'ai failli me faire tirer dessus. Je me demande bien dans quel monde on appelle ça avoir de la chance.

– Vous venez de trouver deux plantes rarissimes alors que êtes à peine arrivée.

J'avais déjà assez morflé pour savoir que c'était peine perdue de raisonner quiconque lié à ces histoires de plantes. J'ai laissé tomber.

– Les cycades font donc partie des neuf plantes ? ai-je repris.

– Oui, et c'est la seule plante grasse.

J'étais aux anges. Non pas parce que j'avais découvert la seule plante grasse, mais parce que ça voulait dire que je pourrais quitter le Mexique plus tôt que prévu. Ma mission était plus facile que je ne l'avais pensé. Je venais d'en découvrir deux malgré moi.

– Et vous, que savez-vous sur ces plantes ? ai-je demandé, persuadée que plus vite j'en saurais, plus vite je pourrais me tirer et retrouver mon petit cocon à New York, me débarrasser des soucis de Sonali, fumer un petit pétard avec Kody et en finir avec tout ça.

— Elles sont toutes originaires du Mexique et datent de l'époque des Mayas. En tout cas, leur légende vient des Mayas.

Diego parlait tout en serrant son fusil de chasse contre sa poitrine. Il avait l'air fier, et soudain très maya.

— Vous êtes maya ?

— Non, je suis huichol, mais je suis né dans le Yucatán, qui est une région maya.

— Et ces plantes, alors ?

— On dit que quiconque arrivera à les rassembler dans un même espace aura tout ce qu'il ou elle désire. À l'inverse, quiconque dérangera ces plantes n'obtiendra jamais rien. Pour les Mayas, elles étaient un symbole de fertilité, sans doute parce qu'ils avaient besoin d'enfants pour les travaux des champs. Par exemple, ils cultivaient des plantes sur une île qui s'appelait Isla Mujeres, l'île des femmes. Aujourd'hui, cette île est envahie par les touristes et les échoppes qui vendent des couvertures artisanales et des *piñatas*. Mais, à l'époque, seuls les hommes de médecine et les chamans étaient autorisés à y aller. Avec le temps, ces plantes ont fini par être identifiées à l'idée de fertilité, et même plus, à l'abondance, sous toutes ses formes.

— Mais pourquoi neuf ?

— D'après moi, et pardonnez-moi si mon anglais n'est pas assez précis, elles représentent les neuf formes de l'abondance : la liberté, la sexualité, la fortune, le pouvoir, la magie, l'amour, l'immortalité, l'aventure et la connaissance. Si vous les rassemblez, vous avez tout ce que les êtres humains désirent le plus ardemment.

J'étais rassurée de constater que l'explication de Diego rejoignait celle de mes deux autres experts ès plantes.

– Les gens en sont fous, prêts à voler ou à tuer pour elles.

– Il paraît. Mais la personne qui m'a dit ça a tout de suite ajouté que c'était un mythe.

– Le type qui les a volées à Armand ?

– Oui.

– Il vous a dit que c'était un mythe avant ou après les avoir volées ?

– Avant.

– Sauf qu'il a risqué sa liberté en les volant. Il aurait pu se retrouver en prison. Croyez-moi, personne n'a envie d'aller en taule, je peux donc vous assurer qu'il croit au pouvoir de ces plantes.

– Et le cycade ? Quel désir représente-t-il ?

– Il a réussi ce que les hommes n'ont jamais réussi. Il survit depuis l'éternité. Chez nous, on l'appelle la plante-vampire. C'est la plante de l'immortalité, un des plus profonds désirs de l'homme.

– Armand pense que les gens aiment la mort.

– Moi, je pense que dès l'enfance, quand ils comprennent qu'un jour ils mourront, ils sont terrifiés et préfèrent ne pas y penser. Au fond, les gens sont convaincus de leur éternité. Ils se croient immortels jusqu'à l'instant où ils disparaissent. Ils n'ont pas la présence d'esprit ni le courage d'aimer ou d'adorer la mort. Ils n'y croient pas.

– Si je comprends bien... j'ai failli tuer la plante de l'immortalité, ce qui est une contradiction en soi.

– Oui, sauf que... j'ai débarqué, et vous ne l'avez pas tuée. C'est typique de cette plante : la chance survient, et elle survit.

– Donc, elle a de la chance et j'ai de la chance.

– Oui, elle n'a pas été écrasée et je ne vous ai pas tiré dessus.

– Et le gloxinia ?

– Le gloxinia est la plante du coup de foudre, donc, de la rencontre idéale.

– Dans quel sens ?

– Les hommes sont une espèce très particulière. Ils ont peur de cultiver l'amour. Ils pensent que l'amour n'est vrai que s'il nous emporte, comme une maladie. Comme la grippe. Quand les gens tombent amoureux petit à petit, ils se posent des questions. Or le gloxinia garantit le coup de foudre, et c'est ce qu'ils veulent.

– Comment savez-vous quelles sont les neuf plantes ? Je croyais qu'elles étaient impossibles à identifier, que c'étaient elles qui venaient à nous ?

– C'est vrai pour la plupart des gens. Mais vous et moi, nous avons un atout : Armand, leur gardien. Il les connaît par cœur.

– Quelles sont les sept autres ?

– Pour l'instant, on va déraciner ces deux-là et rentrer avant que la nuit tombe.

– Je ne pensais pas que la différence entre le jour et la nuit était si marquée, ai-je dit en plissant les yeux dans l'obscurité.

J'ai regardé Diego plier les genoux pour prendre le gloxinia et j'ai eu envie de le toucher. J'étais à quelques centimètres de son corps et je l'observais, qui tirait et caressait les racines de la plante pour l'extraire de la terre.

Je suis plutôt quelqu'un de maîtrisé, et j'étais désemparée d'éprouver cette attirance. J'ai essayé de le séduire par la parole, d'attirer son attention sans vraiment le toucher.

– Vous aimez les vignes de lune ? ai-je lancé tout de go. Ce matin, j'en ai en vu qui se fermaient au lever du jour.

Il a cessé de creuser.

– Loin d'ici ?

– Pas très. Dix minutes en remontant vers la plage.

– Foncez-y, coupez une pousse, mais soyez très prudente. Ne coupez pas la vigne elle-même, coupez dans la feuille.

– Je n'ai pas envie d'y retourner. Il va falloir qu'on marche toute la nuit. On en verra d'autres demain matin.

– Vous n'avez rien compris. La vigne de lune est une des neuf plantes. Elle vous a permis de l'admirer juste avant de se clore. Elle vous a attendue pour se dévoiler. Elle s'est mise à nu. Elle vous a fait confiance. Vous devez absolument retourner la cueillir, celle-ci, pas une autre.

– Bon, d'accord. Je vais récupérer la vigne de lune, celle que j'ai vue.

– Je vais vous expliquer. La chance vous a souri comme vous n'imaginez pas. Vous avez déjà deux des neuf plantes, et bientôt vous aurez la sublime vigne de lune, pourvoyeuse d'enfants, garante de procréation et de fertilité, la plus femelle de toutes. En plus, vous avez du pot d'être tombée sur moi pour venir à votre rescousse. N'importe qui voyant ce que vous provoquez vous enfermerait dans la jungle à ses côtés. Allez, retournez chercher cette vigne de lune pour qu'on puisse partir.

Il m'a jeté un regard farouche, mais doux, qui m'a troublée. Un regard qui disait oui et non en même temps. J'ai levé les yeux sur lui en retour et j'ai été tellement excitée que je n'ai pu m'empêcher de chercher à le toucher, là, tout de suite. C'était plus fort que moi. Je me suis rapprochée quand soudain il a tendu la main et plaqué la paume sur mon visage.

– Non. Vous venez de découvrir deux plantes extrêmement puissantes. La plante du coup de foudre et la plante
de la fertilité. Sachez que vous allez éprouver une attirance
vers moi très forte, presque insupportable. Luttez et résistez
en vous répétant que vous ne me connaissez pas.

– Je n'ai aucune envie de vous connaître. Je n'ai aucune
envie de vous caresser, ai-je répété comme un mantra.

Mes propres paroles me semblaient si étranges que je me
suis interrompue. Ne serait-ce que pour Diego, j'ai essayé
de me ressaisir. Il ne me facilitait pas la tâche.

– Je sais ce que vous ressentez. Ça commence au sommet
du crâne – il a placé une main au-dessus de ma tête – et
ça descend tout le long, a-t-il continué en traçant une
longue ligne jusqu'à l'entrejambe – ce qui n'a pas franchement amélioré les choses. Ce que vous éprouvez en ce
moment même, c'est l'effet de la vigne de lune.

– Pas du tout, c'est vous. Je vous sens en moi.

– Allez, partez et revenez avec la vigne, sinon, elle ne
vous lâchera jamais, et vous éprouverez la même attraction
pour moi toute votre vie.

J'ai eu soudain peur de lui.

– Vous n'avez pas trop chaud avec ce T-shirt trempé ?

– Allez-y, foncez, m'a-t-il lancé en s'esclaffant. Avant que
je change d'avis et que j'en profite.

– Je peux juste toucher ?

– D'accord. On s'enlace, mais une fois.

Quelle force ! J'ai enfoui le nez dans le creux de son cou.
Il y avait une minuscule tache de transpiration qui sentait
l'huile solaire à la noix de coco. Brusquement, je l'ai lâché
– j'étais grotesque.

– Ça va ?

– Ça va.

– Vas-y.

Quelques instants plus tard, je suis revenue avec la bouture de vigne de lune, qu'il a soigneusement rangée avec le gloxinia et le cycade dans une sacoche en cuir attachée à un passant de son jean.

– Qu'est-ce que tu ressens vis-à-vis de moi, maintenant ?

Le fait est que je me maîtrisais beaucoup mieux.

– Comment as-tu rencontré Armand et Sonali ? ai-je répondu, pour changer de sujet.

– Comme toi, par hasard. Sonali est un peu mon professeur, comme Armand avec toi.

– Armand ne m'a rien appris. Je suis ici pour l'aider à récupérer ses plantes.

– Je les ai rencontrés quand j'étais tout môme. Ils venaient d'acheter leur maison. Je vivais dans une hutte en paille, une *palapa*, avec mes parents, à quelques centaines de mètres de chez eux. Ma mère y vit toujours, d'ailleurs. J'étais très jeune, et impressionné parce qu'ils avaient l'eau et l'électricité alors qu'on n'avait rien. Au début, mes parents m'ont interdit de leur adresser la parole car ils étaient blancs, mais, quand ma mère a vu que Sonali cultivait des orchidées géantes sur un sol rocailleux, près de leur maison, où rien ne pousse, elle a été épatée, et j'ai eu la permission d'aller les voir autant que je le voulais.

– Qu'est-ce que t'a appris Sonali ?

– Oh, plein de choses sur les plantes, de l'ordre de la guérison, de la magie...

Je lui ai jeté un regard de biais.

– Ne t'inquiète pas. Ton maître à toi est Armand, et il est beaucoup plus terre à terre. Tu es prosaïque et il est pratique, c'est le mariage idéal. Je comprends pourquoi il t'apprécie. Il t'enseignera plein de trucs utiles.

J'ai vu une clairière au loin et j'ai éprouvé la même joie que la veille.

— Tu n'as aucune affinité avec la jungle, remarqua Diego. J'imagine que tu en as conscience.

— Oui.

— Ne reviens jamais seule ici. La forêt t'a épargnée, mais ce sera la première et la dernière fois.

Scorpions

Aussi répugnant cela soit-il, il existe plus de deux mille espèces de scorpions sur terre. La plupart possèdent une pince, et trois ou quatre paires de pattes qui leur permettent d'avancer. Pis encore, le venin du scorpion, qui semble venir de sa queue, jaillit, en fait, de son anus. Les mâles courtisent les femelles en exécutant une danse qu'on appelle promenade à deux [1]. *Après cette parade, le mâle embrasse la femelle tout en injectant dans sa bouche un peu de venin, juste assez pour la paralyser, le temps de copuler avec elle. Je ne sais pas ce que vous en pensez, mais on imagine facilement une scène où l'on verrait un homme verser quelques gouttes de Rohypnol dans le verre de la fille qu'il convoite. Les hommes sont tous pareils. Les femmes, en revanche, ne le sont pas : quand deux scorpions ont fini de s'accoupler et que l'effet du venin s'est évanoui, le mâle doit s'éclipser très vite, sinon, la femelle sort une assiette pour en faire son repas.*

Une fois dans la clairière, j'ai fait une longue pause pour admirer le ciel, cette immense voûte bleutée qui me rassurait tant.

---

1. En français dans le texte.

– Voici la route de Casablanca, devant nous, m'a annoncé Diego. Sois très prudente et essaie de retenir le chemin si jamais tu dois rentrer seule un jour.

Nous avons pris une longue piste de sable et marché en silence. Des huttes de paille isolées, très espacées les unes des autres, longeaient la plage venteuse. Toutes avaient les mêmes cordes à linge et les mêmes draps blancs qui gonflaient à l'unisson au souffle du vent du large.

Enfin... après six heures d'avion, deux heures de canot, une nuit et deux jours de marche, je suis arrivée à Casablanca, en pleine nuit. La maison était éclairée par le clair de lune, et le vent hurlait en rafales depuis l'océan.

Casablanca ressemblait aux barres de béton que j'avais vues à Puerto Juarez, quoique un peu plus ronde, plus douce, avec des arches et un grand balcon. Le clair de lune soulignait son isolement.

– Je t'abandonne ici, a lâché Diego.

– Tu ne veux pas dire bonsoir à Armand ?

J'appréhendais un peu de me retrouver seule face à Armand. Après tout, j'avais fait sa connaissance quelques semaines plus tôt à peine, et dans une laverie.

– Ne t'inquiète pas, il ne te fera pas de mal. Il n'est pas assez attaché à toi pour gaspiller son énergie à ça.

– Je sais, il me l'a déjà dit.

J'ai continué à observer la maison, qui se dressait au bout d'une espèce de pelouse éparse pendant que Diego prenait sa sacoche.

– Donne les plantes à Armand. Il sera ravi.

– Il a quitté New York sans moi et il m'a laissée me débrouiller pour arriver à bon port. À cause de lui, j'ai traversé la jungle toute seule.

J'ai pris la sacoche.

– Attention aux scorpions dans l'herbe. Ils n'ont pas eu de sang humain depuis un an, la dernière fois que Sonali est venue.

– Tu essaies de me foutre les jetons ? ai-je violemment répliqué. Ne te fiche pas de moi, compris ?

– Le sang humain est un peu comme un dessert pour eux, une petite gâterie. Avance prudemment, les yeux rivés au sol en permanence, et tout ira bien.

C'est reparti, ai-je pensé. *C'est quoi ce pays ? Il y a tout le temps des trucs qui coassent, qui hurlent, qui se décomposent, qui chient, qui empoisonnent, qui tuent...*

J'ai essayé de calculer la distance jusqu'à la maison ; il devait y avoir deux cents mètres environ.

– Vas-y, m'a chuchoté Diego. Sur la pointe des pieds, légèrement. Pose le pied le moins possible. Moins tu offres de surface aux scorpions, mieux c'est.

J'ai agrippé la sacoche, je me suis mise sur la pointe des pieds comme une danseuse, et j'ai foncé à travers l'herbe avec mon sac à dos qui me tapait dans le dos à chaque foulée.

– Fais le tour de la maison pour arriver par-devant ! a hurlé Diego.

J'ai contourné la maison sur la pointe des pieds, guettant le moindre signe de scorpion, même si je ne savais pas exactement à quoi ressemblait la bestiole en question. J'y suis arrivée, mais c'était dur. La lune, cachée par la maison jusqu'ici, était impressionnante, et si basse qu'on aurait dit qu'elle était posée sur l'océan comme au bord d'une baignoire. J'ai pensé à Kody, qui rêvait de voir la pleine lune au-dessus du Yucatán. Il avait raison. C'était un spectacle inouï.

– Pas un geste, a murmuré Armand.

J'ai hurlé. Je ne l'avais pas entendu arriver. Je me suis retournée d'un bond : il était là, brandissant une spatule dans la main droite.

— Rien de mieux pour tuer les scorpions.

J'ai regardé par terre et découvert une créature hideuse de chez hideuse. Dix fois pire que les souris, les rats, les cafards qui infestent la ville de New York. La bestiole était ronde, noire, plate, avec quatre paires de pattes, une pince, et une longue queue, dure, qui semblait dater de la préhistoire.

— Les aiguilles sont ce qu'il y a de plus dangereux. Le scorpion peut donner un coup de queue et t'injecter un venin tellement puissant que tu meurs sur le coup.

J'en ai eu le souffle coupé, et j'ai dû faire un effort pour recommencer à respirer.

— Heureusement, les scorpions sont très lents. Si tu en vois un, écrase-le illico d'un bon coup de spatule. Le truc, c'est de le repérer à temps. C'est une partie de cache-cache permanente, comme quand on était gamins. Tu te rappelles quand tu étais gamine, non ?

Il s'est penché, ramassant le scorpion avec sa spatule avant de le jeter plus loin.

— Pourquoi ne l'as-tu pas tué ?

— Parce qu'ils protègent la maison quand elle est vide. Il y en a tellement que le moindre intrus est sûr de se faire piquer ou tuer.

— Les piqûres de scorpion tuent vraiment les hommes ?

— Oh oui ! Et les femmes, surtout si elles sont très jeunes ou très âgées. Cela dit, on a vu en mourir des personnes d'âge mûr, comme toi.

— Âge mûr, moi ?

— Pour le scorpion, oui.

– Dans ce cas-là, tu refuses peut-être de les trucider, mais moi j'écraserai vite fait bien fait, tous ceux que je verrai.

– Garde-la toujours sur toi, a répondu Armand en me tendant la spatule. Tout le monde, ici, en a au moins une. Certains les font même graver. Ah oui... n'utilise jamais celles qui ont des petits trous. Elles sont commodes pour la cuisine, mais si tu tues un scorpion avec le sang gicle à travers les trous et tu t'en prends plein la figure. Je ne le souhaite à personne.

« Attends-moi là, a-t-il ajouté en ouvrant la porte de la maison.

J'ai attendu sous le porche en tenant la spatule bien haut au-dessus de ma tête, scrutant le sol de la terrasse. Bienvenue en enfer – une fois de plus. Finis les rêves de bains de soleil dans le golfe du Mexique et de danse sur les tables des restaurants de Cancún.

– Ne passe pas ton temps à guetter les scorpions, a hurlé Armand de l'intérieur de la maison. Lève les yeux !

Je lui ai obéi et j'ai découvert un ciel entièrement dégagé. Comme il n'y avait pas d'électricité ni la moindre lumière artificielle, les constellations resplendissaient, clairement identifiables. J'ai suivi avec l'index la Grande Ourse et la Croix du Sud. Cela me rappelait quand j'avais dix ans et que j'étais sanglée sur une chaise à bascule pour observer la voûte étoilée au plafond du planétarium de Hayden.

Quel étrange pays... pensai-je. *Si je lève les yeux, tout est clair, sublime, si je les baisse, tout est cauchemardesque, danger mortel.* J'aurais aimé contempler le ciel plus longtemps, mais les scorpions eurent tôt fait de me ramener à la réalité. Ou le ciel était-il la réalité ?

– Bienvenue à Casablanca, ai-je entendu Armand s'exclamer alors que j'entrais dans la maison.

Il avait une bougie à la main.

Des bougies avaient été installées dans toute la maison et partout où il passait Armand s'arrêtait pour les allumer.

— Vous n'avez pas d'électricité ?

— Pas tout le temps, en tout cas, pas ce soir. Il doit y avoir quelqu'un qui regarde la télé ou qui écoute la radio dans le coin.

— Et ça suffit pour tout faire sauter ?

— Crois-moi, ça ne m'amuse pas plus que toi. Mon rêve, c'était d'ouvrir une laverie ici, mais ça consomme beaucoup d'électricité alors j'ai dû y renoncer.

À mesure qu'il allumait les bougies, je découvrais les carreaux de terre cuite au sol et plusieurs couvertures artisanales mexicaines rouge, turquoise et blanc jetées sur un vieux rocking-chair plus ou moins gris. Un canapé – en fait, une longue banquette – avait été creusé directement dans un des murs en béton. J'ai remarqué une grande table de jardin avec des bancs assortis, que j'adorais, et un comptoir recouvert de carreaux de céramique pour séparer le living de la cuisine.

— Arrête de regarder par terre ! Je ne vais quand même pas passer mon temps à te le rappeler ! On rate la moitié de sa vie à avoir le regard rivé au sol.

— Ça n'est jamais que la deuxième fois que tu me le dis depuis que je suis arrivée. Il ne faut pas exagérer.

— C'est vrai. Lila, ma chère, regarde vers le haut.

D'immenses animaux en papier mâché rose orangé étaient suspendus au plafond sur un fil à pêche très proche de celui auquel étaient accrochées les plantes de la laverie. C'était un immense mobile de cochons, de baleines, d'oiseaux et d'ânes.

– Ce sont des *piñatas* fabriquées par les enfants du village. Elles sont adorables, non ?

Le fait est qu'elles étaient magnifiques et de très bonne facture.

– Ici, les enfants ont un dicton qu'ils lancent au moment où ils cassent la *piñata*. Ils se mettent en cercle et hurlent « Casse la *piñata* et chasse le *mañana* ! »

– Parce qu'elles sont pleines de bonbons ?

– Non.

J'ai déposé mon sac au sol pour les examiner de plus près.

– Ramasse-moi ça, vite ! Les scorpions adorent les cachettes, les plis des vêtements, les chaussettes, les chaussures, et tous les types de sacs.

Aussitôt j'ai repris le mien.

– Tu vas voir, tu vas t'y habituer. J'espère. Tu finiras même peut-être par les apprécier. Ils sont la cible idéale pour s'exercer à viser. Plus tard, quand tu seras une bonne tueuse, tu pourras t'attaquer à des créatures dix fois plus rapides et plus dangereuses.

– Je ne suis pas exactement ce qu'on appelle une prédatrice. Je suis une New-Yorkaise pur jus, au cas où tu l'aurais oublié.

Soudain, Armand a pointé le doigt au sol. En moins de temps qu'il n'en faut pour l'écrire, j'ai brandi ma spatule avec les deux mains et je l'ai abattue sur l'ombre noire. Quand je l'ai relevée, je transpirais et j'étais essoufflée...

– C'est ça, tu n'as rien d'une prédatrice ! s'est exclamé Armand en gloussant. Tu es une gentille petite fille juive de Manhattan.

Ensuite, il m'a montré ma chambre.

– Suspends soigneusement tes vêtements sur des cintres et veille à qu'ils ne touchent pas le mur du fond du placard.

Pose tes chaussures sur la commode et vérifie toujours l'intérieur avant de les mettre. À vrai dire, le plus pratique, ce sont les sandales ou les tongs.

« Donne-moi la spatule, a-t-il poursuivi en tirant dessus alors que je m'y accrochais. Il y en a une dans chaque pièce. La tienne est suspendue à un clou.

J'ai lâché, pour le plaisir de le voir tomber. Hélas, il n'est pas tombé. Comme par hasard.

– Tu es de plus en plus rusée, c'est bien !

À peine avait-il quitté la pièce que j'ai arraché la spatule accrochée au clou. J'ai attrapé un coin du couvre-lit et donné un grand coup sec pour le dégager d'une main, l'autre brandissant ma spatule. J'ai inspecté tout le lit, soulevé chaque coussin avec ma nouvelle arme. Plus jamais de ma vie je ne pourrais utiliser ce type d'ustensile pour faire cuire un œuf ou retourner un steak.

La maison était beaucoup rassurante le matin, inondée de soleil, et j'ai remarqué une multitude de détails qui m'avaient échappé la veille. Le lit où j'avais dormi était un grand lit, flanqué d'une tête de branches d'arbres tressées, maintenues ensemble par une longue liane. Deux grandes fenêtres donnaient sur une vilaine pelouse desséchée derrière laquelle on voyait la mer, dont la nuance bleu turquoise semblait aussi artificielle que celle que j'avais déjà remarquée en la traversant sur le canot.

Je me suis levée, groggy. La mer était si proche qu'en tendant la main j'avais l'illusion de l'effleurer. Même l'herbe entre la maison et la mer, infestée de scorpions, et qui me terrorisait tant la veille, ressemblait à de la bonne vieille pelouse un peu jaunie.

Comme j'avais dormi tout habillée, j'ai tout de suite pris la sacoche que j'avais oubliée à cause de l'épisode des scorpions. Armand était assis sous le porche, face à la mer. Lui aussi me semblait moins menaçant sous le soleil resplendissant.

– La marée monte, a-t-il remarqué en pointant le doigt. Si tu regardes bien, tu verras peut-être un mulet bondir pour ne pas se faire dévorer par un loup de mer.

– Il y a des gens au bout de la plage.

– Des pêcheurs de homards. À la fin de la journée, ils s'alignent le long de la plage pour tirer leurs filets pleins de crustacés qui hurlent. On ne les entend pas crier, bien sûr, mais je te promets qu'ils ne se gênent pas. Quand Sonali est ici, les pêcheurs nous donnent du poisson et en échange elle surveille les enfants pendant qu'ils sont au large. J'avoue que sans elle je n'ai pas la patience.

Je lui ai remis la sacoche et j'ai attendu qu'il l'ouvre. J'avais besoin d'un petit compliment, un clin d'œil trahissant sa surprise, une preuve que j'avais des affinités avec la nature, moi aussi, un signe de reconnaissance pour ce que j'avais accompli en si peu de temps.

– Tu as fait le voyage jusqu'ici et c'est tout ce que tu me rapportes ? Trois bouts de plantes minables ? À ce rythme-là, tu n'es pas près de repartir.

– Ah bon, je pensais que je m'étais plutôt bien débrouillée ! C'est la première fois que je me retrouve dans la jungle, et seule.

– Tu n'étais pas seule en pleine jungle, arrête de dramatiser. J'ai envoyé Diego te tenir compagnie. Il n'est pas mal, non ?

Mon attirance envers Diego était-elle si patente ?

– Tu étais parfaitement en sécurité. Diego connaît la

jungle comme sa poche, beaucoup mieux que moi ou Sonali. Sa mère est une chamane huichole extrêmement respectée dans la région. Elle est née sur cette terre en décomposition permanente, de même que son fils. C'est un pur produit de la forêt tropicale. Tu ne le savais pas, mais tu étais en très bonnes mains.

— Quel est l'intérêt, puisque je ne le savais pas ?

— Ça m'a permis de dormir en paix.

J'ai dû me retenir pour ne pas argumenter.

— C'est quoi, une chamane huichole, exactement ?

— Une guérisseuse, une *curandero*, proche de l'esprit du daim. (Armand m'a regardée en biais et poursuivi :) Ne badine pas avec Diego. Tu n'es pas prête pour ce genre d'homme. Il y a deux semaines à peine, tu t'es entichée d'un voyou qui a saccagé ma laverie et aujourd'hui tu te crois amoureuse du fils d'une chamane.

— Je ne suis pas amoureuse. Mais si je l'étais, ne serait-ce pas bon signe ? Le signe que j'aurais évolué et changé ?

— Non. C'est la preuve que tu tombes amoureuse du premier venu qui croise ton chemin, que tu es en manque et aux abois. Hier soir, j'ai fermé ma porte à clé tellement j'avais peur.

— Je ne suis pas aux abois à ce point-là. J'ai été attirée par Diego à cause du gloxinia et de la vigne de lune. C'est lui qui me l'a dit.

— Parce qu'il est gentil. Il a du pain sur la planche et il n'avait pas envie de t'avoir sur le dos dans la jungle. Tu aurais pu causer votre perte à tous les deux.

Armand a posé les trois boutures sur son banc de travail. Pour la première fois, il m'a parlé sur un ton un peu plus aimable.

– Ce sont de bons spécimens, a-t-il dit en retirant ses lunettes de vue, et il semblait avoir les yeux beaucoup plus petits, plus lointains, et plus durs. Tu t'en es bien sortie.

– Pourquoi Diego est-il si peu indiqué pour moi ?

– Il n'y a que ça qui t'intéresse, dis-moi ?

– Je veux savoir pourquoi tu penses qu'il n'est pas pour moi.

– Viens.

Il m'a entraînée du côté de la fenêtre qui donnait sur les montagnes, à l'opposé de l'océan.

– Diego est un Huichol. Sa famille descend des grands guerriers aztèques, des montagnes de l'État de Nayarit. C'est un faucon, un condor qui vole les ailes grandes ouvertes, avec une amplitude de plus de cinq cents mètres. Son pouvoir et sa sexualité exceptionnelle sont liés à sa liberté. Il est libre de parcourir la jungle, de s'élever au-dessus des montagnes, de guérir, de chasser. Libre de toutes les entraves de la vie quotidienne. Je ne suis pas en train de dire qu'il ne peut pas t'aimer, bien sûr que si. Mais toi, tu adores les entraves, tu ferais tout pour le retenir.

– Comment tu peux déclarer une chose pareille ? Tu as vu où je suis ? Une femme qui adore les entraves n'irait jamais rejoindre un étranger au fin fond de la péninsule du Yucatán.

– Diego est un homme attiré par les chemins de la connaissance. Il ne cherche pas à atteindre une destination précise, une relation stable par exemple. Pour lui, ce serait une forme de mort. Sa conception de l'amour n'a rien à voir avec la tienne, et ni l'un ni l'autre vous ne seriez satisfaits d'une liaison.

Arrête de baratiner, n'ai-je pu m'empêcher de penser.

– Sauf, évidemment, si tu trouves les neuf plantes. Dans ce cas, impossible de prévoir ce qui peut se passer.

– En quoi cela changerait-il nos rapports ?

– Parce que tu aurais accompli quelque chose. Et vous seriez sur un pied d'égalité. (Armand a conclu en souriant :) Tu veux des œufs ou de la brioche avec de la confiture de framboises ?

– Je veux bien des œufs.

La cuisine était inondée de lumière ; les carreaux en céramique du plan de travail étaient jolis, décorés de motifs peints : poules bleu marine et coqs rouges. Armand à préparé des œufs à la coque avec une noix de beurre et une pincée de sel. Ils étaient délicieux.

– Un peu de café ?

– Avec plaisir.

Après le petit déjeuner, il est allé s'asseoir à sa table pour examiner à nouveau les plantes.

– Je suis fier de toi.

– Je sais qu'il n'y en a que trois

– Encore six, mais tu peux y arriver.

– Je ne lâcherai pas.

– Je compte sur toi.

– Pourquoi penses-tu que j'aime les contraintes ?

– Parce que tu es toujours à la recherche d'un petit copain ou d'un mari pour te tenir la bride et t'empêcher de t'épanouir, de mûrir.

Bon point.

– Tu as peur de la liberté. Tellement peur que tu cherches quelqu'un qui te tienne en laisse à chaque tournant. D'une certaine manière, c'est aussi ça que tu attends de moi. Bien entendu, il n'en est pas question, même si tu me suppliais. Allez, assez parlé, aide-moi à rempoter ces boutures.

J'essayais de soulever un énorme sac de sphaigne de tourbe quand j'ai vu Diego traverser la pelouse. J'avais la tête envahie d'images de faucons, de condors, de liberté et de chamans huichols, et je brûlais d'envie d'aller me jeter dans ses bras.

Armand a soudain levé les yeux.

– Tu es trop superficielle. Ne te laisse pas séduire par ces histoires de magie, de pouvoir et de fils de chamane. Cultive les pouvoirs que tu as en toi, qui t'appartiennent. Ne t'entiche pas de ce qu'autrui possède déjà. Travaille.

– Attends, je vais t'aider, m'a proposé Diego en arrivant.

Il a pris le sac de tourbe et l'a apporté à Armand.

Son corps était parfaitement bâti, sa peau parfaitement cuivrée. Lui au moins n'avait jamais passé un jour de sa vie enfermé dans un bureau à Manhattan, le nez sur un ordinateur, tournicotant sur sa chaise avec des écouteurs aux oreilles. Il était d'un autre bois. Comme nous, sans doute, avant que les voitures, les villes et tous ces gadgets portables fassent de nous des êtres immobiles, empotés, fragiles et voûtés.

– Alors, Armand, qu'est-ce qu'on fait aujourd'hui ? a-t-il demandé en versant de la tourbe dans les pots. La pêche au bar doit être bonne, j'ai entendu les bateaux partir hier soir.

– Demain, peut-être. Aujourd'hui, je voudrais vous demander un service à tous les deux : j'aimerais que vous me trouviez une de mes plantes préférées, le *Theobroma cacao*. (Il a poursuivi en s'adressant à Diego :) « Tâche d'en trouver une bien mûre. Les cabosses doivent être rouges, orange, jaunes, mauves ou vertes. Si elles ont une couleur de diamant, ça veut dire qu'elles sont bonnes. Surtout ne les ouvre pas. Si elles éclatent toutes seules, laisse-les pour les signes.

— Où y en a-t-il ? ai-je demandé.

Armand m'a répondu, en pointant le pouce du côté de la porte derrière lui :

— Hélas pour toi, il va falloir que tu retournes dans la jungle.

— Pourquoi tu n'y vas pas toi-même ?

— Parce que tu es là pour ça.

— Je n'en peux plus. J'ai fait plus de soixante-dix kilomètres à pied en deux jours.

— Justement, file avant de t'écrouler. Tu vas voir, tu ne seras pas toute seule. La concurrence est rude.

Chamans huichols

Les Huichols sont environ dix-huit mille, dont la plupart vivent dans le Jalisco et le Nayarit, deux États montagneux, très escarpés, du Mexique. Descendant des Aztèques, ils partagent une grande partie des traditions chamaniques précolombiennes. L'un de leurs dictons favoris est le suivant : Si tu es fait de maïs (iku) et que tu manges du peyotl (jikuri), tu te transformeras en jaguar (maye) qui chassera le daim (mahjrah), qui est ton propre esprit. En d'autres termes, poursuis-toi et chasse-toi toi-même avant de poursuivre et de chasser autrui. Soit : Connais-toi toi-même.

D iego a posé ses deux grandes mains sur mes biceps maigrichons en me regardant dans le blanc des yeux.

– Je te propose un petit tour de magie huichol. Ça nous aidera peut-être à trouver le *Theobroma cacao.*

Il a retiré ses mains et légèrement détourné la tête du côté de la jungle de façon à m'avoir au coin de son champ de vision.

– Je suis sûr que tu en rêves.

J'aurais aimé qu'Armand soit là pour voir le majestueux condor flirter avec moi, ailes déployées.

– Allez, a-t-il insisté, dis-toi que c'est une sorte de rac-
courci. Ça nous permettra de tomber très vite sur le *Theobroma cacao*.

– Armand m'a dit que ta mère était une chamane huichole.

– Et, à moi, que la tienne était une princesse juive.

Pour un faucon ivre de liberté et affranchi de toute
entrave, il se laissait prendre à ce petit jeu de séduction avec
beaucoup de plaisir.

– Ma mère est une chamane très puissante. Mais je suis
sûr que tu n'y crois pas. Il ne s'agit pas de vieilles légendes
pleines de sorcières, de vieilles biques et de sortilèges. Les
pratiques des Huichols sont très simples et terre à terre. Il
suffit d'écouter le chant de Tamatz Kuhullumary, le daim le
plus âgé et le plus fort. C'est lui qui insuffle en nous l'esprit
du daim nous menant là où nous devons aller.

– C'est ça que tu appelles simple et terre à terre ?

– Oui, pourquoi pas ? Tu verras, si le daim t'apprécie, il
te conduira peut-être jusqu'au *Theobroma cacao*.

– Et toi ? Il t'apprécie ?

– J'ai grandi avec lui. Il est un peu comme mon frère,
peut-être même plus proche. Crois-moi, il me connaît et il
m'aime. Aujourd'hui, tu es sa seule inconnue.

– Je ne vais quand même pas discuter avec toi pour savoir
si oui ou non le daim m'aime ! ai-je fini par lâcher en levant
les yeux au ciel.

– Mais nous y sommes, en pleine discussion.

– D'abord, pourquoi un daim ? Pourquoi pas l'esprit d'une
girafe, par exemple, d'un lama, d'un ours polaire ?

– Tu as déjà vu des ours polaires dans le coin ?

– Je n'ai pas non plus vu de daims.

— Il faut qu'on retourne à ton endroit préféré, à l'entrée de la jungle. C'est là qu'ils viennent se nourrir. On les guettera. Ça dépend de leur humeur, on peut attendre dix minutes, toute la journée ou une semaine entière.

— Je croyais qu'il n'y avait qu'un seul daim à voir. Le plus âgé et le plus fort.

— Tamatz Kuhullumary ne se déplace jamais seul. Il est entouré de tous les daims qui l'ont aimé au cours de sa vie. Ainsi sont les daims. Ils n'aiment pas la solitude.

Nous avons repris la piste poussiéreuse qui menait à la forêt. Nous sommes repassés devant les huttes et les cordes à linge au bord de la plage, marchant en silence, comme la veille. Puis devant des grappes d'enfants à la peau basanée et des pêcheurs accrochés à leurs filets et hurlant entre eux, mais qu'on entendait à peine à cause du vent. Diego m'avait interdit de parler pour ne pas effrayer les daims, car ils n'étaient pas habitués à ma voix, blanche et féminine. Cela ne me dérangeait pas. J'étais épuisée et je me fichais de savoir pourquoi l'esprit du daim se méfiait des femmes blanches.

— Je sens que les daims ne vont pas être très coopératifs, a déclaré Diego au bout d'une petite dizaine de kilomètres. On devrait déjà en avoir vu un ou deux brouter, au moins les avoir entendus s'enfuir entre les arbres.

La chaleur me pesait.

— Pourquoi as-tu mis si longtemps pour le savoir ?

— Savoir n'est pas du même ordre que penser, deviner ou prévoir. Le savoir advient quand il le veut, lui, et jusqu'ici il ne m'était pas advenu. Je ne pouvais pas te prévenir plus tôt.

J'avais la peau moite et j'étais au bord de l'évanouissement à force de passer du chaud au froid.

— Il faut que je m'assoie.

— Pas ici. Si on n'arrive pas à trouver Tamatz Kuhullumary, c'est sans doute parce qu'on est poursuivis par l'esprit d'un autre animal, un ennemi de Tamatz. Si tu t'assois maintenant, tu risques de te faire tuer.

— Mais non ! Aucun esprit d'aucun animal ne me poursuit, qu'est-ce que tu racontes ? Je suis crevée. Je ne peux plus faire un pas.

Diego a bondi face à moi et posé les mains sur mes épaules – pour la deuxième fois ce matin. Le majestueux condor ne répugnait pas à me toucher, de toute évidence.

— On est trop fatiguée pour marcher, pauvre petite fille blanche ?

— Je te promets, ai-je répondu en riant.

— Comment vas-tu rentrer à Casablanca alors ?

— J'ai besoin de me reposer.

— Je te propose autre chose.

Il m'a soulevée dans ses bras et je suis tombée de sommeil, le visage enfoui dans son T-shirt trempé. Son corps sentait la transpiration et la noix de coco, et j'ai rêvé à mon premier petit ami, assis au Silver Point Beach Club de Long Island. J'étais allongée à côté de lui, couverte d'huile solaire, avec un maillot bleu à paillettes et des lunettes de soleil.

Peu après, je me suis réveillée, parfaitement reposée.

— C'est bon, je peux marcher.

Diego me serrait toujours contre lui.

— Tu es sûre ?

— Oui, tu peux me lâcher.

— J'aime te sentir serrée contre moi. J'aime te porter. Tu es toute douce et légère.

Moi aussi j'aimais, mais je ne voulais pas que mon beau faucon ivre de liberté le sache.

– Tu peux me déposer.

Il m'a fait glisser sur son beau corps musclé, et nous sommes revenus sur nos pas. Moi qui pensais être une bonne marcheuse lorsqu'à New York je marchais tous les jours d'Union Square jusqu'à mon bureau au centre-ville ! J'avais les jambes raides et engourdies.

Nous étions presque arrivés quand Diego m'a attirée contre sa poitrine. Il m'a relevé les cheveux en queue-de-cheval et chuchoté à l'oreille :

– Regarde, à gauche, mais chut... pas un mot.

Le terrain autour de la maison d'Armand était rempli de daims, mâles et femelles, grands et petits... Certains étaient brun clair avec des taches blanches, d'autres gris et sales. La pelouse était envahie comme par la foule d'un festival de musique.

– Ils sont venus pour toi, au pied de chez toi, a chuchoté Diego, surexcité. Quoiqu'il t'arrive dorénavant, sache qu'ils seront toujours de ton côté.

– Que pourrait-il m'arriver ? ai-je répondu en contemplant les animaux sous le soleil aveuglant. Ils ont l'air tellement doux. J'ai du mal à imaginer qu'ils puissent faire le moindre mal.

– Ne te laisse pas abuser par leurs yeux doux. Le daim ne tue pas au sens où il ne mord pas, n'a pas de venin ni de pinces, mais, si son esprit ne t'aime pas, impossible de survivre sur son territoire. Il fera en sorte que tu ne trouves ni nourriture, ni abri, ni même la paix intérieure. Il te hantera jusqu'à ce que tu partes, physiquement ou mentalement. Il ne faut jamais lâcher prise devant un daim avant d'être sûr d'être compatible avec lui. Sa douceur est une arme de séduction. Le daim est plus féroce qu'une tigresse couvant ses petits. Comme toi. Voilà pourquoi tu es compatible avec lui. C'est ton frère.

Nous nous sommes avancés avec prudence.

— Tamatz Kuhullumary, l'esprit du grand daim, est partout. Tu le sens ?

Non, je ne sentais que la chaleur et la fatigue, et j'étais blessée que Diego pense que la douceur était une façade.

— Kuhullumary a cherché à t'épuiser pour ne pas effrayer son troupeau. Assois-toi et regarde-moi. C'est moi qui vais faire le boulot.

Il valait mieux entendre ça que d'être sourd !

— Si les daims se déchaînent et se cabrent comme des chevaux, n'aie pas peur. S'ils se précipitent dans tous les sens, dans le chaos le plus total, n'oublie pas qu'ils sont venus ici pour toi, pour mêler leur esprit au tien. Tu n'as aucune raison d'avoir peur. Compris ?

J'ai hoché la tête et je me suis assise contre un palmier. J'ai regardé Diego se diriger vers les bêtes. Ses beaux cheveux noirs brillaient et pour la première fois je me suis demandé quel âge il avait : vingt-sept ? quarante ? C'était une telle force de la nature qu'il était sans âge. Son corps irradiait la santé. Ses dents blanches, les muscles épais de son cou, son torse large, imberbe, basané, ses grandes mains, ses pieds nus avec des ongles impeccables et incolores : tout, chez lui, témoignait d'une forme physique exceptionnelle. Il était destiné à vivre très vieux. Ou peut-être avait-il déjà longtemps vécu et était-il au milieu d'un très long cycle.

En le regardant s'approcher des daims, j'avais le sentiment que ma vie à moi se fondait à un mythe étrange qui ne m'appartenait pas. J'ai pensé aux neuf plantes, la raison première qui m'avait poussée à venir au Mexique, et je me suis demandé si j'arriverais à rentrer à New York et à poursuivre la vie que j'y menais.

Diego a agité la main pour attirer mon attention, puis il a plié les coudes en bougeant les bras de haut en bas comme une pompe, tel un coureur de fond, en rythme, pliant et dépliant à l'unisson les longs muscles de son dos et de ses cuisses. Tout son corps semblait épouser le mouvement des daims, lui-même en accord avec le tremblement des feuilles dans les arbres et l'herbe ondoyant au sol. Tous se mouvaient à un rythme dont je sentais la pulsation dans mon corps, jusqu'au moment où j'ai perçu un seul et vaste mouvement autour de moi, une cadence venue du centre de la Terre.

Soudain, Diego s'est arrêté, balayant du regard le troupeau, sans doute à la recherche de Tamatz Kuhullumary. Puis il s'est incliné pour se mettre à quatre pattes. Il a rejoint un daim qui buvait l'eau d'une source, un immense mâle brun-rouge avec des rayures grises. Il avait de grands bois pointus qui ressemblaient à un arbre mort jaillissant de sa tête. Tamatz Kuhullumary, j'en étais sûre.

Diego a ployé les genoux, à l'arrêt. Je me suis redressée pour le suivre du regard au-delà de la mer de daims. Il était agenouillé face au plus âgé, comme s'il priait. C'est alors que j'ai assisté à un spectacle inouï : un par un, les daims sont allés se rassembler en cercle autour d'eux, jusqu'au moment où j'ai perdu de vue Diego, fondu dans la foule des daims.

Et s'il était en danger ? Que faire ? Courir pour effrayer les daims et les chasser ? Jeter des pierres pour qu'ils se dispersent ?

Je cherchais un objet dur autour de moi quand j'ai aperçu Armand debout devant chez lui, agitant la main et secouant la tête pour me faire signe de ne pas intervenir. Comme

Diego, pour me signifier de ne plus dire un mot. Pourquoi passaient-ils leur temps à agiter la main pour m'interdire de faire telle ou telle chose ?

Armand a pointé le doigt vers Diego, et cette fois-ci j'ai compris ce que cela voulait dire : *Regarde, pauvre petite fille de Manhattan, tu as vu cet homme sublime au milieu de ces daims sublimes ?*

Puis il a pointé le doigt alternativement sur moi et Diego, comme s'il poursuivait : *Vas-y, pauvre petite fille de Manhattan, va rejoindre Diego et Tamatz Kuhullumary.*

J'ai essayé d'imiter Diego et peu à peu, en fermant les yeux, j'ai constaté que j'avançais en cadence. J'avais du mal à y croire ! Je n'avais aucun sens du rythme.

J'ai continué en essayant de ne pas penser aux daims, dans l'espoir qu'ils m'oublient et ne bougent plus. En vain. Ils s'écartaient de mon chemin à mesure que j'avançais, jusqu'au moment où j'ai assisté à la scène la plus extraordinaire qui soit : Diego et Tamatz Kuhullumary buvaient ensemble à la source, en toute confiance, parfaitement complices.

Tamatz Kuhullumary avait la tête inclinée, son doux museau dans le ruisseau, et Diego était agenouillé, lapant l'eau lui aussi. Tous deux avaient la tête qui oscillait suivant la pulsation secrète de la terre.

Tamatz Kuhullumary a levé les yeux et, dès qu'il m'a vue, il a tourné le dos pour s'éloigner.

Puis Diego a posé un doigt sur les lèvres, comme le petit sorcier, avant de me faire signe de les suivre, lui et le vieux daim. Je me suis retournée pour voir si Armand était toujours là : il n'avait pas bougé.

Nous avons suivi le daim dans la jungle, dans un silence

total. Tamatz s'arrêtait souvent pour brouter ou se soulager, puis, brusquement, il a viré à l'orée de la jungle. Il a disparu.

– Là, m'a dit Diego, il est juste là.

– Quoi ?

– Le *Theobroma cacao*, le cacaoyer, la plante de la fortune que les civilisations olmèque et maya ont utilisée comme monnaie d'échange et comme nourriture pendant des milliers d'années.

– Le daim nous y a conduits directement ! Comment savait-il ?

Diego m'a jeté un regard légèrement troublé.

– C'est moi qui le lui ai demandé. Que croyais-tu que je faisais pendant que je me désaltérais avec lui ?

– Aucune idée.

– Je lui chantais une berceuse huichole composée pour lui.

– Tu peux me la chanter ?

J'avais compris que la chanson de Diego m'était aussi destinée.

Diego s'est mis à chantonner d'une voix haute, au vibrato très mélodieux, qui n'avait rien à voir avec la voix profonde qu'il avait quand il parlait. Son timbre m'a rappelé Marco, le joueur de hautbois qui vivait chez Armand et Sonali.

Esprit du daim
Toi qui connais si bien la forêt
Chaque brin d'herbe
Chaque renflement de rivière
Laisse-moi chevaucher avec toi
Pour trouver la nourriture dont j'ai besoin
Je n'abîmerai pas ta maison
Je ne te jetterai pas de pierre
Car tu es moi et je suis toi

Je suis toi et tu es moi
Guide-moi vers les nourritures dont j'ai besoin

— Elle a été écrite par ma mère pour le daim qu'on vient de voir.

— Tu es sûr que c'est le même daim ?

— Je te l'ai déjà dit, je le connais depuis l'enfance.

J'étais songeuse face à l'abîme qui séparait nos deux mondes. La seule chanson de mes parents qui me venait à l'esprit était la rengaine idiote d'une publicité pour la bière Budweiser que mon père fredonnait pendant les matchs de foot du lundi soir.

— Je ne voulais pas te décourager, mais ton esprit-animal était avec toi depuis le début de la journée. C'est pour ça qu'on a mis si longtemps à trouver les daims. Il les faisait fuir.

— Qu'est-ce que c'est, exactement, l'esprit-animal ?

— Tu veux vraiment savoir ?

— Bien sûr !

— Je sais que tout ça doit te paraître très bizarre, a-t-il répondu en souriant.

Il a plongé ses beaux yeux gris dans mes yeux noisette, et j'ai été frappée de voir l'intensité de ce gris contrastant avec ses cheveux noirs et sa peau tannée. C'était une nuance qui tirait sur le blanc, comme si l'iris était éclairé par un petit néon.

— La *Panthera onca*, a-t-il chuchoté en soulignant délicatement le *c* d'*onca*. C'est un jaguar, mais on le surnomme panthère noire. La panthère noire, tel est ton esprit.

Le rêve que j'avais fait avant de quitter New York m'est revenu en mémoire.

— Je l'ai vue deux fois. Une première fois quand nous

nous sommes rencontrés, le jour où tu as trouvé le gloxinia, la vigne de lune et le cycade. Une seconde fois aujourd'hui.

– Comment sais-tu que c'est mon esprit-animal ? J'ai lu dans un guide qu'il existait des centaines de panthères noires.

– C'est vrai. Mais, crois-moi, personne ne la voit si elle refuse de se dévoiler. La première fois qu'elle m'est apparue, j'ai eu peur qu'elle ne cherche à nous tuer. La seconde fois, quand j'ai vu que là encore elle nous avait épargnés, j'ai compris. La panthère noire a beau être plus petite que le tigre ou le lion, elle est beaucoup plus dangereuse. C'est une prédatrice qui agit à la dérobée, qui tue en silence, insaisissable, comme la nuit la plus noire et le néant. Pour elle, nous sommes une proie facile, idéale, car nous ne pouvons lui opposer aucune résistance, même avec un fusil.

– Pourquoi ne pas me l'avoir dit plus tôt ?

– J'avais peur que cela ne te monte à la tête. La panthère noire est un animal tellement puissant que beaucoup de gens se croient invincibles le jour où ils l'apprennent. Ils finissent par prendre des risques inutiles et accumuler les erreurs.

– Je ne me sens pas invincible pour autant.

– Attends, si jamais tu vois une panthère noire, tu te sentiras beaucoup plus forte. À partir du moment où tu le sais, en ton for intérieur, cela te change à jamais.

J'étais extrêmement intriguée, et j'avoue que j'ai commencé à gamberger à l'idée d'être transformée à jamais.

– Quoi d'autre ?

– Tu vois ? Tu as déjà changé. Je l'entends dans ta voix.

– Allez. Dis-moi ce que tu sais sur la *Panthera onca*, ai-je insisté, utilisant le nom latin à dessein.

– Ma mère m'a raconté beaucoup de choses sur ces panthères parce qu'il y en avait autour de chez nous. Elle cherchait à me protéger. Chez toi, les parents s'inquiètent à cause des dealers qui rôdent à la sortie des écoles et des adolescents fous qui tirent sur une classe entière. Chez nous, ils redoutent qu'une panthère noire n'emporte leurs enfants au milieu de la nuit. Le résultat est le même, les enfants meurent.

— Alors ? Raconte-moi.

— Les panthères peuvent atteindre des vitesses phénoménales, à tel point que n'avons aucun moyen de nous mesurer à elles. Ce sont d'excellentes escaladeuses et d'excellentes nageuses, ce qui est très rare chez les félins. Mais le plus fascinant, ce sont les légendes d'ordre ésotérique qui les entourent.

— Le côté magique ?

— La qualité la plus remarquable de la panthère noire est le silence, un silence absolu. En vertu de sa couleur, qui est, en fait, une tache de naissance, et de ce silence, les chamans huichols affirment qu'elle détient la clé de l'invisibilité. Si elle a décidé de te tuer, elle te tue, c'est tout. Impossible de le détecter. En plus, comme elle enterre ses victimes, personne parmi tes proches ne peut te retrouver. Tu disparais sans laisser de traces, c'est d'ailleurs le seul indice qui permette de savoir que tu as été emportée par une panthère. Si jamais tu vois une *Panthera onca* sans qu'elle cherche à t'attaquer, tu seras frappée par son regard, qui ne cille jamais. Non seulement il est particulièrement perçant, mais il peut te guérir en pénétrant jusqu'au niveau des cellules si la panthère le souhaite.

— Toi aussi, tu as une fourrure noire et brillante et des yeux qui luisent.

— Tu rigoles, mais sache que tu es cernée par les panthères. Dans tes rêves et sur le visage de tes amis.

J'ai pensé à la panthère de la publicité pour les baskets Puma et à mon rêve prémonitoire. Diego avait raison. J'étais cernée par les panthères.

Theobroma cacao

Le Theobroma cacao, *qui, en grec, signifie la*
« nourriture des dieux », est une plante qui ne vous
abandonnera jamais. Quelles que soient les circonstances,
bonnes ou mauvaises, que vous traversiez une période
d'angoisse ou de stress, que vous ayez des problèmes avec
votre conjoint parce que la passion qui vous animait
s'étiole, si vous n'avez personne autour de vous à qui
parler, personne pour vous écouter, vous comprendre,
ou croire en vous, le Theobroma cacao, *plus connu*
sous le nom de chocolat, lui, sera toujours là
pour vous réconforter.

J'ai passé plusieurs heures avec Diego à extraire les
cabosses du cacaoyer, ou *Theobroma cacao*. Diego montait
dans l'arbre, qui devait mesurer entre quatre et cinq mètres,
et secouait les branches pour que les cabosses tombent.
C'était un arbre extrêmement étrange, très haut, effilé, avec
de grosses cabosses de toutes les couleurs accrochées aux
plus grosses branches ou poussant directement sur le tronc.
On aurait dit un grand poteau brun couvert de petits ballons
orange, jaunes, rouges, verts, roses et violets. J'avoue que

j'avais du mal à voir le lien entre cet arbre avec ces drôles de cabosses et des tablettes Crunch ou des glaces *double fudge* que je dégustais en été.

Nous avons récolté six belles cabosses pour Armand et les avons rangées dans des filets pour les porter sur le dos. Diego préférait abandonner celles qui étaient brisées aux singes-araignées et aux singes hurleurs, qui eurent le bon goût de nous laisser finir avant de se précipiter en braillant sur les restes.

— Les Olmèques sont les premiers à avoir fabriqué du chocolat à partir des fèves de cacao, m'a expliqué Diego. Certains scientifiques pensent même que le cacao ne serait pas un produit naturel mais une modification génétique obtenue par les Olmèques. Non seulement ils mangeaient du chocolat, mais ils utilisaient les fèves comme monnaie d'échange, d'où l'idée que le *Theobroma* est la plante de la fortune.

Diego s'est interrompu pour sortir une cabosse de son filet et l'a frappée contre une pierre enfouie dans la terre.

— Il ne faut jamais ouvrir une cabosse à la machette. Ça abîme les fèves, et le chocolat aura moins d'arôme. Par contre, si c'est juste pour sucer le placenta qui entoure la fève, au goût sucré et légèrement citronné, tu peux ouvrir la cabosse comme tu veux.

Il a plongé la main dans la cabosse ouverte pour me proposer une poignée de fèves couvertes d'un liquide visqueux blanchâtre.

— Non, merci.

Il a aspiré cette drôle de mixture directement dans la bouche, suçant la partie blanchâtre et recrachant les fèves.

— C'est bon, on dirait de la limonade avec une pulpe très

épaisse. Et la cabosse la maintient au frais. Tu es sûre que
tu ne veux pax goûter ?

L'idée que cette mixture naturelle était fraîche m'a fait
craquer.

– D'accord, donne-m'en un peu.

Il a collé la cabosse contre sa bouche et recraché des fèves
à l'intérieur puis s'est approché de moi en penchant la tête.
Il a plaqué sa bouche contre mes lèvres entrouvertes et délicatement laissé glisser les fèves sur ma langue.

– Tu aimes ?

– De la limonade avec une pulpe très épaisse...

Ce fut mon premier baiser dans la jungle, inoubliable.

– Tu as l'impression d'être plus vivante, a chuchoté
Diego, lisant dans mes pensées. Parce que tout autour de
toi, au-dessus de toi, sous toi, à côté de toi, tout vit. Y
compris ce que tu ne vois pas.

Il avait raison. S'embrasser au cœur de cette vie exubé-
rante, cette symphonie de verdure, ces parfums, était à mille
lieues d'un baiser dans une chambre, dans un bar, où rien
ne vit ni ne respire. C'était un geste naturel, spontané,
comme dormir ou se nourrir.

– Maintenant, tu sais comment te désaltérer si jamais tu
te retrouves seule au milieu de la jungle.

– Oui.

Et je n'oublierai jamais, ai-je pensé.

Nous sommes rentrés, et Armand a posé les cabosses sur
sa table de jardin. Il en a fait tournoyer une, et j'ai commencé
à avoir le vertige. J'ai cherché Diego du regard pour voir s'il
était aussi troublé, mais il avait disparu.

– Ne cherche pas Diego, il est parti se reposer.

– Je sais que tu penses que moi et Diego, ça n'est pas génial, mais il a vraiment un faible pour moi.

– Pourquoi ? Parce qu'il t'a raconté l'histoire de la *Panthera onca* ? Et j'imagine qu'il t'a embrassée au cœur de cette jungle sexuelle et animale, a ajouté Armand en riant et en commençant à extraire les fèves.

« Tu es une femme. Il s'amuse à flirter avec toi, c'est un petit jeu de séduction. Ça ne veut pas dire qu'il est amoureux. Quant à moi, j'essaie d'attirer ton attention en te donnant le vertige.

– Tu l'as fait exprès !

Il a fait tournoyer une cabosse au bout de son doigt comme un ballon de basket.

– Allez, trêve de plaisanterie, je vais te montrer comment fabriquer du chocolat. Prends un papier et un crayon. Et, je te promets, tu pourras essayer chez toi. Si tu rentres...

Comment fabriquer du chocolat à partir du *Theobroma cacao*

Cassez à la main deux ou trois cabosses mûres pour en extraire les graines (les fèves) et la pulpe.

Déposez la mixture dans un récipient en bois et couvrez-le de feuilles de bananier. Ces feuilles sont faciles à trouver, disponibles à peu près partout.

Laissez fermenter la mixture pendant sept jours.

Étalez-la sur des claies en bois ou en ciment – un comptoir de boucher ou une table de jardin fera l'affaire. Retournez les fèves régulièrement en y passant les doigts ou avec une fourchette.

La pulpe fermentée finit par s'évaporer, et les fèves sont considérées comme sèches quand elles n'ont plus de résidu.

La torréfaction
La torréfaction est un processus long et délicat qui dépend de la quantité de fèves que vous avez à torréfier. Pour une fine couche, il faut laisser chauffer environ soixante minutes à cent dix degrés.

Une fois les fèves chaudes, retirez à la main la fine pellicule qui les protège. Il vaut mieux le savoir : décortiquer deux cent cinquante grammes de fèves peut prendre jusqu'à deux heures. Il s'agit de faire apparaître les graines de cacao, qui n'est autre que du chocolat noir, brut, non sucré.

Étape suivante : mixez les graines dans un robot environ dix minutes. De la fumée peut se dégager, vérifiez qu'elle vient du cacao et non du robot. Il suffit de humer. Vous reconnaîtrez soit le parfum unique du cacao, soit les effluves peu amènes du plastique ou du métal brûlé.

À partir de là, il ne vous reste plus qu'à ajouter la quantité de lait et de sucre que vous souhaitez. Voici quelques indications de base : mélangez deux cuillerées à dessert de pâte de cacao, cent cinquante grammes de sucre en poudre, quelques noix et épices pour relever le goût. Versez à nouveau dans le mixer et mélangez deux ou trois minutes.

Le raffinage
Versez le mélange dans un récipient et mixez une ou deux heures. Choisissez de préférence un mixer automatique que vous n'êtes pas obligé de surveiller. Si vous devez vous transformer en baby-sitter, tâchez d'alterner une heure de surveillance suivie d'une heure libre.

Versez le tout dans un moule en alu et laissez refroidir une nuit à température ambiante. Vous obtiendrez ainsi une sympathique tablette de chocolat bien granuleuse. À partir de là, il vous suffit de faire et de refaire la recette. Bonne chance ! Car il en faut.

La chicorée sauvage
(*Cichorium intybus*)

*Chez les Égyptiens, la chicorée était considérée comme
une plante magique qui permettait de surmonter les
obstacles et d'ouvrir les verrous, les boîtes, les portes...
Les Égyptiens enduisaient leur corps de suc de chicorée
obtenu à partir de la racine de la plante afin de devenir
invisibles et d'obtenir les faveurs de personnes haut
placées. Les pouvoirs de la chicorée étaient supposés être
plus puissants encore si la plante était taillée avec un
couteau en or massif, dans un silence absolu, à minuit.
Sinon, la racine était moulue et grillée, et mêlée au café
pour en relever le goût. Une plante aux vertus
très variées, vous en conviendrez.*

– Rappelle-moi ce qu'on a déjà, m'a demandé Armand.
– Le gloxinia, la plante du coup de foudre ; le
cycade, la plante de l'immortalité ; la vigne de lune, la plante
de la fertilité et de la procréation ; et le *Theobroma cacao*,
l'arbre de la fortune.
– Bien ! Si tu allais au marché pour acheter les numéros

cinq et six ? Ça fait un moment que tu n'as pas été en ville. Un peu de shopping ? Je parie que tu ne dirais pas non ?

— On peut les acheter ? Chez un fleuriste ?

— Certaines, oui, au marché de Xcaret. On va y aller ensemble pour voir si elle accepte de nous les vendre.

— Qui, elle ?

— La Caissière.

— On y va à pied ? J'ose à peine te l'avouer, mais je commence à fatiguer.

— Ne t'inquiète pas, je n'aime pas beaucoup marcher et Xcaret n'est pas tout près. J'ai une moto derrière la maison.

— Tu as une moto ? Quand je pense que j'ai fait l'aller-retour entre ici et la jungle cinquante mille fois ? Je rêve...

— Tu aurais fait peur aux daims. Aucune chance de débusquer un *Theobroma cacao* avec une moto.

J'ai suivi Armand dehors, découvrant en effet une vieille moto de l'armée vaguement kaki appuyée contre le mur. En fait, je l'avais plus ou moins aperçue mais sans m'y arrêter ; on aurait dit un vieux bout de ferraille qui traînait dans le jardin.

— Allez, monte, m'a lancé Armand en grimpant sur la selle. Elle n'est pas aussi déglinguée qu'elle en a l'air. C'est moi qui l'ai volontairement abîmée pour ne pas attirer les regards. Un peu de peinture vert caca d'oie, et va que je te la frotte avec une paille de fer. Pour la rouille, j'avoue que je n'ai pas eu à intervenir.

Vu son gabarit, Armand envahissait une bonne partie de la selle.

— Vas-y, pose les mains sur mes épaules. N'aie pas peur, au contraire, j'adore qu'on me touche !

Je n'avais pas le choix : c'était ça ou je me cassais la figure.

— C'est agréable, non ?

– Ouais.

Il a démarré en trombe, écrasant sûrement quelques scorpions au passage.

– Je réfléchissais, ce matin... ça fait vingt ans que Sonali et moi on a acheté Casablanca. À l'origine, c'était pour être plus près de nos amies, hurlait-il pour couvrir le moteur qui pétaradait.

– Vos amies les plantes ?

– Ouais. Sonali adore cet endroit. Elle vivrait ici toute l'année si elle n'avait pas ses orchidées, qui préfèrent New York.

– Qu'est-ce qui vous permet de dire qu'elles préfèrent New York ?

– Dès qu'on les transporte ici, elles meurent. À New York, elles s'épanouissent très vite.

– Elles ne sont pas mieux sous les tropiques ?

– Ce serait plus logique, mais ça n'est pas le cas. J'imagine que la maison à New York dégage quelque chose qui leur convient. On a essayé, crois-moi, et ce n'est pas une mince affaire de leur faire passer la frontière. Et, vu les prix de certaines orchidées, c'est comme si tu faisais de la contrebande de diamants. C'est trop stressant pour Sonali.

– Elle ne peut pas en trouver ici et les cultiver sur place ?

– Et remplacer une orchidée par une autre, comme ça ?

– Heu... oui.

– Ça fait vingt ans qu'elle soigne ses orchidées, même plus, pour certaines. Je te le jure, elle est plus attachée à ses orchidées qu'à moi.

– Ça m'étonnerait.

– Je t'assure. Ces fleurs ont des atouts que je n'ai pas : une beauté exceptionnelle, des couleurs fabuleuses, des parfums inédits, et la stabilité. Elles, au moins, elles ne fichent pas le camp au Mexique avec des étrangers. Par ailleurs, certaines amitiés se nouent entre les personnes toquées de plantes. Sonali a découvert la musique grâce à Marco, le joueur de hautbois. Les orchidées les plus rares lui apportent un peu de reconnaissance et d'argent. La laverie a été achetée avec ce qu'on a gagné en vendant des boutures d'orchidées.

– Ah bon ?

La moindre allusion à la laverie me rendait légèrement nerveuse.

– Tu mesures un peu la place que les orchidées ont dans sa vie ! Et dans la mienne, par la même occasion. Parfois, j'ai l'impression de vivre avec toute une belle-famille, mais au fond ça me va.

– Et cette fameuse plante de la passion, celle qui n'a pas de nom ? Sonali est venue ici pour essayer de la dénicher ?

– Elle y a passé des années et des années, oui. Mais c'était avant les orchidées, et avant moi.

– Si je comprends bien, elle ne l'a jamais trouvée ?

– Jamais aperçue, même.

Armand eut soudain l'air triste.

– Elle a vécu un an au Mexique. Elle a consulté des chamans, des guérisseurs, des chasseurs, des dealers. Elle était persuadée que cette plante existait toujours. Impossible de lui faire entendre raison.

– Elle n'a jamais rencontré personne qui l'aurait vue ?

– Non. Moi-même je suis allé consulter des chamans au sommet des montagnes du Nayarit, la région d'où Diego est originaire. Je leur ai demandé d'invoquer la plante, de retrouver son nom. Je pensais que s'ils le retrouvaient je trouverais la plante. Je me trompais.

– Ce n'était peut-être pas le bon moment ni le bon endroit.

– C'est encore plus simple que ça. La plante n'a pas de nom. Elle n'a que la passion de la vie. Et je savais qu'il fallait beaucoup de passion pour la découvrir. Sonali était devenue trop triste et repliée sur elle-même, c'est pour ça que j'ai pris le relais. Mais je n'ai pas eu de chance.

Armand s'est interrompu, et je n'ai pas osé poursuivre. La plante de la passion était pour lui comme la laverie pour moi, un sujet délicat.

– Pourquoi est-ce que vous n'avez pas d'enfant ?

– C'est une décision qu'on a prise il y a longtemps, pour consacrer notre énergie au plus grand nombre de personnes possible. Et aux orchidées, bien sûr. Et puis il y a eu cette quête de la plante de la passion.

– Et les gens qui viennent te voir à la laverie.

– Oui, et Diego, et, maintenant, toi.

Nous approchions de Xcaret quand, soudain, surgissant de nulle part, trois énormes chiens noirs se sont précipités sur nous en aboyant. Ils m'ont arrachée à l'humeur mélancolique dans laquelle m'avait plongée l'histoire de la plante de la passion. J'étais terrorisée. J'ai tourné la tête pour les observer, ils couraient presque aussi vite que la moto, la gueule grande ouverte, leurs canines jaunes dégoulinant de bave.

– Fonce ! ai-je hurlé en m'agrippant aux épaules d'Armand, que je secouais de toutes mes forces.

– Ne t'inquiète pas, a-t-il hurlé. Dans peu de temps ils seront tous morts.

Il a brusquement accéléré et je me suis pris une giclée de gravier en plein visage.

Le marché n'avait rien à voir avec ce que j'imaginais, mais

je ne regrettais pas d'être venue, malgré ces maudits clebs et le gravier.

C'était une grande bâtisse en bois, et pas en béton, comme toutes les constructions que j'avais vues jusqu'ici, peintes en bleu ciel. Elle se dressait là, seule, au bord de la route, sans le moindre bourg à l'horizon, et dans un état lamentable. De grands panneaux de bois manquaient du côté gauche et le trou était tellement béant que, de la route, je voyais les étals à l'intérieur.

– C'est rapide, en moto, non ? a dit Armand.

L'intérieur du marché était plus ou moins divisé en deux, avec une vieille caisse enregistreuse posée sur une table de jeu, cinq allées de rayonnages et, au fond, quelques réfrigérateurs. De ce point de vue-là, il n'avait rien d'extraordinaire. En revanche, les produits exposés valaient leur pesant de cacahuètes.

D'abord, tous les produits vendus en conserve semblaient dater de Mathusalem, couverts d'une couche de poussière de plusieurs centimètres d'épaisseur. D'après Armand, la population locale se nourrissait très peu de produits en conserve, plus chers et moins bons que les produits frais, ce que je comprenais. Cela dit, ils auraient quand même pu prendre la peine d'épousseter un peu les rayonnages pour attirer le chaland.

Très vite, j'ai repéré les céréales : les fameuses boîtes en carton, jaunies, des Kellog's Rice Krispies, avec le coq rouge du vieux logo. Comme je travaillais dans la publicité, enfin, jusqu'ici, je savais que ce vieux coq datait des années soixante-dix. Autrement dit, les céréales étaient plus vieilles que moi ! Trente-six ans exactement. J'ai fouillé au fond de ma poche pour voir si j'avais de l'argent. J'avoue que j'étais tentée d'acheter toutes ces boîtes datées pour les revendre sur eBay dans la rubrique « Collections ».

Le rayon des produits réfrigérés était encore plus surprenant. Face à nous, entre des bouteilles de lait et un gros carton de boîtes de pâte à croissant fraîche, on vendait des paquets d'hormones sous vide. Des flacons de testostérone, d'œstrogènes et de progestérone étaient rangés à côté d'une vieille photo noir et blanc de travesti scotchée sur la porte réfrigérateur. La photo avait été prise au cœur du Meatpacking District de New York, bien avant que l'hôtel Maritime, le bistrot Pastis et tous ces cafés plus ou moins européens aient remplacé le Florent et les prostitués. Ces produits impossibles à obtenir aux États-Unis sans une série de prises de sang douloureuses, ordonnances et assurances hors de prix, étaient en vente libre dans ce marché pourri et éventré qui sentait le roussi.

J'ai continué à déambuler, de plus en plus intriguée. Chaque étal me réservait une surprise.

J'ai successivement découvert des boîtes de Retin-A à côté de tubes de dentifrice Crest ; des fioles de Botox – qui se vend en poudre, non pas en liquide – à côté de shampooings Pantène. Comment imaginer que des gens qui vivaient sans électricité et accrochaient au-dessus de chez eux des panneaux pour avertir de cas de choléra se souciaient tant de leurs rides ? La beauté était décidément une industrie lucrative, touchant même des femmes qui tuaient de leurs propres mains les poules avant de les faire cuire.

Les boîtes de Botox indiquaient « $ 10.00 », un prix dérisoire à côté des sept cent cinquante dollars que mes copines à New York payaient au dermatologue dont on se refilait l'adresse qui leur faisait une petite injection dans une salle obscure au fond d'un club de gym Equinox.

Le calcul était vite fait. Pour sept cent cinquante dollars, je pouvais venir ici en avion, acheter du Botox pour une poignée de cacahuètes, revenir avec une peau sublime et me payer une petite semaine à la plage au passage. Un vrai pays de cocagne ! L'affaire du siècle ! J'ai éclaté de rire. Trop vénale. Au moins, je retrouvais mon sens de l'humour. Moi qui avais peur de virer néo-bab, avec ces histoires d'esprit du daim, de panthère noire et de vigne de lune, je ne perdais pas le nord ! Il suffisait que je tombe sur ce marché pour que mon vieux cynisme de citadine aguerrie revienne au galop.

J'ai cherché Armand du regard, mais il avait disparu.

– *El hombre está en el sótano*, a déclaré la femme assise derrière la caisse. L'homme est au sous-sol.

C'était une petite femme râblée, à la peau très foncée, avec deux longues nattes noires comme le jais qui lui descendaient jusqu'à la taille. Son visage était particulièrement ridé, alors que ses cheveux étaient très épais et sans l'ombre d'une mèche grise.

Nous nous sommes dévisagées un certain temps, jusqu'au moment où, comme si nous étions toutes deux satisfaites, elle a répété *El hombre está en el sótano*. Brusquement, elle a agité le poignet pour me chasser comme une mouche. J'ai agité le mien sans me laisser démonter.

L'escalier – si on peut l'appeler ainsi – qui descendait au sous-sol était long et raide. Il n'avait pas vraiment de marches, mais une soixantaine de barreaux en bois dont chacun équivalait à deux marches au moins. Moi qui redoutais les caves et les sous-sols depuis que j'étais petite, j'ai pris sur moi pour ne pas flancher. En plus, je n'y voyais absolument rien. Je me suis retournée pour descendre face aux barreaux, comme sur une échelle. À mesure que je m'enfonçais, un parfum de plantes de plus en plus intense s'élevait et j'avais l'impression de pénétrer au centre de la Terre.

— *¿Hay luz?* Il y a de la lumière ? ai-je demandé à la femme en hurlant.

— *Lo siento, señorita. No hay luz. Las plantas están en el sótano. No es bueno para las plantas.* Je suis désolée, made-moiselle. Il n'y a pas de lumière. Les plantes sont au sous-sol. Ce n'est pas bon pour elles.

— Merde, ai-je murmuré en continuant à descendre dans le noir le plus total. Et moi alors, c'est bon pour moi ?

Tout à coup, j'ai atterri dans une immense pièce à l'éclairage artificiel et violent. Des lampes horticoles mauves étaient suspendues partout, au-dessus de longues tables en bois rectangulaires tapissées de plantes.

On aurait dit un hangar ferroviaire, au moins cinq ou six fois plus grand que mon appartement à New York, soit près de neuf cents mètres carrés, ai-je calculé. Les ampoules fluo diffusaient une lumière telle que l'espace ressemblait à une immense affiche des années soixante, comme celles qui représentaient des tigres ou des crânes luisants sur un fond de velours violet avec des effets spéciaux obtenus à la lampe électromagnétique. Je découvrais des centaines, des milliers de plantes, toutes plus exubérantes, plus luxuriantes et plus verdoyantes les unes que les autres, posées sur la table. Il faisait frais et l'air était légèrement parfumé, saturé d'oxygène. Aucune plante n'avait de bourgeons et peut-être n'auraient-elles jamais de floraison. C'était difficile à dire. De quel type de plante s'agissait-il ? Là encore, j'étais igno-rante. J'étais peut-être tombée sur une réserve de culture hydroponique de marijuana. Pourtant, ça ne sentait pas l'herbe, mais les gens qui vendaient des hormones à l'étage

supérieur avaient peut-être réussi à concocter du shit ino-
dore qu'on pouvait fumer en public, ni vu ni connu. *Sacrée
trouvaille*, me dis-je. *Une vraie pompe à fric. Pas mal pour
booster sa carrière, voire sa vie entière.*

— *Atropa mandragora solanaceae.*
J'ai distingué un filet de voix d'homme à l'autre bout de
la pièce.
— Armand ?
— La mandragore, a poursuivi la voix, beaucoup plus aiguë
que celle d'Armand, est la plante de la magie. La plus grande
pourvoyeuse de mystère.
J'apercevais vaguement une silhouette à l'autre bout de
la cave dont la tête était penchée au-dessus d'une montagne
de feuilles, mais beaucoup plus menue que celle d'Armand.
Qui était cet étranger ? J'ai commencé à reculer, lentement
et discrètement, vers l'escalier.
Soudain, l'homme s'est levé. Sous les lampes horticoles
violettes, sa peau était d'une blancheur maladive.
— Bonjour, Lila.
Tétanisée, j'ai senti une boule de nausée au fond de moi.
Qui pouvait m'appeler par mon prénom dans cette cave au
fin fond du Mexique ? J'ai essayé de distinguer les traits de
son visage, mais il était trop loin. J'ai entendu un martèle-
ment sourd en haut de l'escalier, suivi de bruits de pas. On
venait de fermer la porte d'entrée de la cave à clé. C'était
la Caissière. Armand n'aurait jamais fermé la porte dans
mon dos.
L'homme s'est avancé. Ses cheveux blonds brillaient sous
la lumière. David Exley ! J'ai failli m'évanouir.
— Savais-tu que les mandragores les plus puissantes sont

celles qui poussent sous les gibets, ou là où a eu lieu un suicide par pendaison ?

Je restai coite.

– Si tu coupes un nerf de la colonne vertébrale d'un pendu, il a une érection. Charmante image, non ? Le cadavre éjacule, le liquide pénètre dans la terre et la mandragore fleurit. Or les plantes issues du sperme sont les hallucinogènes et les aphrodisiaques les plus spectaculaires au monde.

– Qu'est-ce que tu fous là ? ai-je murmuré entre mes dents, cramponnée aux tables en bois qui m'entouraient.

– Le roi Salomon, Alexandre le Grand, Jeanne d'Arc : tous refusaient de partir de chez eux sans avoir un brin de mandragore en contact avec leur corps. Shakespeare en parle dans *Roméo et Juliette*, et Homère dans *L'Odyssée*. Longfellow, un de mes poètes préférés, a saisi l'esprit de la mandragore dans des vers superbes : « Apprends-moi à reconnaître les lieux où pousse la mandragore/Dont la racine magique, arrachée à la terre dans la douleur/À minuit chasse les vilains apeurés/Et suscite en l'esprit moult visions fantastiques. »

J'avais complètement oublié l'existence d'Exley, et jamais je n'aurais imaginé le revoir au fond d'une cave en train de réciter de la poésie.

– Qu'est-ce que tu fous là ? ai-je répété en tâchant de maîtriser ma voix.

– Je suis en train de te raconter l'histoire de la mandragore. C'est une des neuf plantes, sache-le, la plante de la magie et du mystère.

J'avais l'esprit engourdi, paralysé, comme une voiture au fond d'un fossé, les roues tournant dans le vide.

Exley a tendu la main vers moi. J'ai reculé.

– Je suis là pour les mêmes raisons que toi, Lila. Pour les plantes.

– Tu les as volées dans la laverie, au cas où tu aurais oublié.

– Voler, c'est beaucoup dire. J'aurais eu du mal à les emporter si elles avaient refusé de me suivre.

– En tout cas, si tu les as, qu'est-ce que tu es venu foutre ici ? Tu me suivais ?

– Tu as peur que je ne te vole les nouvelles ? Et que cette fois-ci je saccage sa baraque ?

– C'est ça que tu veux ? ai-je répondu en un étrange hurlement étouffé. Blesser Armand ?

– Je suis ici parce que deux des neuf plantes sont mortes en transit, pour ainsi dire. Je suis venu les remplacer. C'est tout.

– Lesquelles ?

– Je te rappelle que nous sommes concurrents. Nous recherchons les mêmes trésors, rares, donc chers. Je peux te donner un indice : aucune des deux ne se trouve dans ce sous-sol.

Je ne te crois pas.

– Pourtant, c'est bien moi, Lila, l'homme du marché d'Union Square, celui qui t'a initiée au monde des plantes tropicales. L'homme qui t'a prise au lit, qui coiffait tes cheveux et caressait tes seins avec cette exquise brosse de bébé.

Sa voix était mielleuse, factice, comme celle d'un type offrant des bonbons à une petite fille dans une cour de récréation. Il a tendu la main, que cette fois-ci j'ai violemment repoussée.

– Ce qui s'est passé à New York n'était absolument pas dirigé contre toi ni contre ton ami Armand. Ça ne concernait que les neuf plantes, exclusivement.

– Si, tu m'as personnellement humiliée. Tu t'es servi de moi pour mettre la main dessus. Et mon ami a été mortifié.

– Écoute-moi, Lila. Le jour où je t'ai rencontrée, tu m'as tout de suite plu. Bien avant que tu me montres ta bouture, avant que je te propose de l'acheter, et avant que tu m'emmènes à la laverie. Le jour où tu m'as dit qu'Armand possédait les neuf plantes, j'ai compris que c'était un signe du destin. J'ai consacré ma vie entière à les rechercher et un jour tu débarques en me proposant de réaliser le rêve de ma vie. Que voulais-tu que je fasse ? Mets-toi à ma place.

– Je t'ai cherché partout au marché, partout, derrière chaque étal, entre les feuilles de chaque plante. J'ai interrogé tous les vendeurs. Quand je suis arrivée à la laverie et que j'ai vu les dégâts, ç'a été une expérience affreuse.

– Tu as encore beaucoup de choses à vivre.

– En tout cas, j'ai une question : pourquoi es-tu monté chez moi ce soir-là ? Je t'avais déjà montré où se trouvait la laverie. Pourquoi a-t-il fallu que tu montes ?

– Pour mon plaisir. Je suis un homme. C'est la seule réponse honnête.

– Rien ne t'empêcherait de me répondre : « Je suis désolé, je suis un sale menteur et un voleur. »

– Je ne suis pas du tout désolé ! Je te l'ai déjà dit, ça n'avait rien de personnel. Ce n'est rien par rapport à ce que j'ai dû faire pour avoir les plantes. D'ailleurs, tu as plutôt apprécié ce petit épisode galant, non ? Je le sais puisque j'y étais.

Il a tendu la main comme pour me caresser les cheveux. Je ne savais plus où j'en étais. Le marché, l'oiseau de paradis, cette nuit d'amour, le verre brisé de la laverie, tout se téléscopait dans mon esprit. J'étais à la fois attirée et révulsée par lui, prête à me précipiter contre lui, mais dans ses bras... et je suis restée immobile, paralysée.

– Je pourrais faire lancer un mandat d'arrêt contre toi, ai-je fini par lâcher. Tu viens d'admettre avoir pénétré par effraction dans la laverie.

– Vraiment ? Tu crois ? C'est le Far West, ici, ma poupée. Demande à la police locale de m'arrêter pour un truc qui a eu lieu de l'autre côté de la frontière. Je te souhaite bien du courage, et du fric, beaucoup de fric pour les soudoyer.

Il a reculé lentement en suivant les rangées de plantes, et jusqu'au bout de la cave.

– *Adiós, amiga.* C'était sympa de discuter un peu. Désolé, mais je dois me retirer pour poursuivre mes recherches.

J'ai appelé Armand en hurlant, mais trop tard. Exley a ouvert à la main le verrou d'une porte invisible. La lumière du soleil s'est engouffrée par la porte et j'ai entendu la Caissière hurler au-dessus :

– *Ay, Díos mío, las plantas. ¿Quién abrio esá puerta ? ¡Te mataré !* Oh, mon Dieu, les plantes. Qui a ouvert la porte ? Je vais te tuer !

J'ai couru jusqu'à la porte pour la claquer, vite, et je suis remontée en enjambant les barreaux quatre à quatre. La Caissière était debout devant la porte avec Armand.

– *¿Quién abrio esá puerta ahí abajo ?* Qui a ouvert la porte en bas ?

– Exley.

– Il a emporté des plantes ?

– Je n'ai pas l'impression, mais il avait une chemise enroulée entre les mains. Peut-être qu'elle contenait des boutures.

– Tu l'as vu prendre des pots ?

– Non. Il ne trouvait pas celles qu'il voulait. Pourquoi

avez-vous fermé la porte ? ai-je ajouté en m'adressant à la femme.

– *¿Qué ?*

– *La puerta del sótano*, la porte du sous-sol. Je suis allée la claquer une seconde fois pour mieux me faire comprendre. Pourquoi ?

– *Un accidente.*

J'avais du mal à la croire.

– Pourquoi toutes ces plantes sont-elles enfermées en bas ? ai-je demandé à Armand. Alors que dehors le soleil brille toute la journée ?

– Parce que ce sont des plantes particulièrement puissantes que l'on cultive pour les *curanderos* et les médecins de la région. Des plantes qui peuvent être très dangereuses si elles tombent entre de mauvaises mains. Des plantes très précieuses en termes de vertus curatives, mais aussi en termes de blé, si tu vois ce que je veux dire.

– Comment Exley a-t-il pu descendre dans ce sous-sol sans se faire pincer ?

Armand s'est retourné vers la Caissière en traduisant la question en espagnol.

– *Es cliente mío. Y uno bueno además. Lleva muchos años comprándome plantas.* C'est un client. Et un bon. Ça fait des années qu'il m'achète des plantes.

– Mais c'est lui qui a dévasté la laverie d'Armand !

– *¿Qué ?*

Armand a de nouveau joué l'interprète.

– *Usted le dijó donde estaban las plantas. Usted le llevó al lavadero.*

– Qu'est-ce qu'elle raconte ?

– Que c'est toi qui as dit à Exley où étaient les plantes et la laverie.

Je n'ai pas cherché à me défendre.

– Tu m'as menti ? a demandé Armand.

– Je venais de te rencontrer. Je ne savais pas ce que ça représentait pour toi.

– Je t'avais demandé de ne rien dire à personne.

– J'ai commis une erreur.

– *¿Comó cuando cerré la pierta del sótano* ? est intervenue la femme. Comme quand j'ai fermé la porte ?

Une vraie sorcière.

– Je ne comprends toujours pas comment Exley a pu ouvrir le verrou de cette porte aussi vite.

– Parce que c'est un expert en passages secrets et ouvertures en tout genre. Il a l'art d'entrer et de sortir en se faufilant entre deux espaces, entre deux lieux, deux situations. Tu te doutes bien que la réserve de ma laverie n'était pas vraiment facile d'accès. Il a fallu qu'il se glisse dans les recoins de ma conscience et se rende invisible à mon propre esprit. Il possède le don de se rendre invisible, un don sans prix, mais il l'utilise à mauvais escient. Toi aussi tu as ce talent, qui t'a été donné par la panthère noire, mais tu ne sais pas comment l'exploiter. Toi et Exley, vous êtes du même bois de ce point de vue.

– Il lui manque deux des plantes qu'il t'a volées mais il a refusé de me dire lesquelles. C'est pour ça qu'il est ici.

– Il va falloir être très vigilants. Exley a vécu avec les neuf plantes, et, même si deux d'entre elles ont péri, il a connu cette expérience unique. Je suis sûr qu'il brûle d'envie de la revivre.

– Comment peux-tu affirmer qu'elles sont mortes ?

– Mon petit doigt... Sur le moment, j'ai senti que quelque chose ou quelqu'un mourait. J'ai même cru que c'était Sonali. J'étais dans notre lit et je me suis rué sur elle pour la réveiller – elle était furieuse. Maintenant, j'ai compris, c'étaient ces deux plantes.

– Exley prétend que les plantes ont accepté de le suivre, sinon, jamais elles ne se seraient laissé prendre.

– Une plante ne bouge pas, elle a donc très peu d'indépendance.

– Elles ne pouvaient donc pas fuir Exley ?

– Deux sont mortes, sans doute en se suicidant, pour l'empêcher de les posséder toutes ensemble.

– Lesquelles ?

– On va bientôt le savoir. En attendant, essayons de nous procurer ce qu'il nous faut ici.

Aussitôt dit, aussitôt fait, nous sommes redescendus au sous-sol avec la Caissière.

Armand s'est incliné, et avec une grâce absolue (à laquelle j'aurais toujours du mal à m'habituer émanant d'un corps aussi massif) il a ramassé un objet par terre. Il a ouvert la main et j'ai aperçu une minuscule fleur couleur lavande sur une toute petite tige.

– Bien, bien, bien... M. Exley nous a laissé un indice. *Cichorium intybus* : de la chicorée sauvage. La plante de la liberté. Il a dû l'utiliser pour s'échapper et il a eu la délicatesse de nous laisser une fleur en remerciement. Ton cher Exley ne manque pas d'humour.

– Ce n'est pas mon cher Exley.

– Peu importe. En revanche, ces jolis pétales nous indiquent la façon dont il s'est enfui.

– Il aurait ouvert le verrou de blocage avec un pétale ?

– Plus ou moins. La *Cichorium intybus* est une plante vivace proche du pissenlit, qu'on cultive en Angleterre, en Irlande, et de la Nouvelle-Écosse jusqu'en Floride en passant

par les plaines de l'Ouest. Mais pas ici. Donc, c'est lui qui
l'a apportée.

– Pourquoi ?

– Parce que cette plante a une racine pivotante pleine
d'un suc blanc, laiteux et amer auquel certains prêtent des
vertus magiques. Les Égyptiens croyaient que si l'on s'endui-
sait le corps de ce suc on devenait invisible, et tous les
obstacles autour de soi disparaissaient. Les Mayas l'appe-
laient la plante de la liberté pour les mêmes raisons.

– Ça m'étonnerait qu'il ait ouvert le verrou avec le suc
d'une racine de chicorée. Franchement, j'ai du mal à le
croire.

– Je n'ai pas dit ça. En revanche, cette petite fleur est
révélatrice de sa personnalité et elle nous sera peut-être utile
un jour.

– Tu as raison. Elle prouve que c'est un arnaqueur de
première et un cinglé.

– Écoute-moi. Elle prouve non seulement qu'il s'y
connaît, mais qu'il y croit. Il pratique sans doute un peu de
ces rituels magiques à base de plantes. La chicorée montre
que c'est un ennemi beaucoup plus redoutable que je ne
l'imaginais.

La Caissière s'est approchée d'Armand et s'est soudain
frappé le front.

– *Ah, chicoria ! Así es cómo rompió mi cerradura.* Ah, de
la chicorée sauvage, je comprends comment il a cassé le
verrou !

– N'écoute pas trop la Caissière, m'a murmuré Armand
avec un clin d'œil. Elle est très superstitieuse.

Mandragore
(*Atropa mandragora solanaceae*)

Vous rêvez d'une plante qui ressemble à un être humain, pourvue d'organes génitaux apparents, réputée être un aphrodisiaque de premier ordre, contenant des alcaloïdes qui affectent l'esprit, telle l'hyoscyamine, et censée guérir l'insomnie et la dépression ? Alors la mandragore est pour vous. Mais soyez prudent. Plus d'un en est mort, qui chercha à l'arracher à la terre.

– Regarde, m'a dit Armand en m'indiquant une longue tige. C'est un parfait spécimen d'*Atropa mandragora solanaceae*.

Je me suis penchée, et nous nous sommes retrouvés tête contre tête, nos deux fontanelles en contact.

– Tu veux que je t'avoue un truc ?

– Je ne suis pas sûre, non.

– Toutes les plantes que tu as vues dans la cave sont des mandragores.

Je ne sais pas pourquoi, mais ça m'a fichu une trouille épouvantable.

– Comment ça ?

– Ce sous-sol est une espèce de temple, un sanctuaire dédié à la plante de la magie.

– Mais qui a pu imaginer un truc pareil ? me suis-je exclamée en me tournant vers la Caissière. Quel est l'intérêt de cultiver de telles quantités de mandragores ?

– *¿Qué ?*

– Pourquoi cultiver de telles quantités de mandragores ? ai-je répété en haussant nettement le ton.

– Du calme, est intervenu Armand. Elle ne comprend pas.

– Elle comprend très bien, oui !

– Certains appellent la mandragore la « chandelle du diable » car elle luit la nuit.

La Caissière avait l'air furieuse.

– On cultive les mandragores la nuit pour des raisons de sécurité, pour protéger les gens qui la connaissent mal et essaient de la déraciner en plein jour sans prendre de précautions. Car souvent ils tombent malades, et parfois ils en meurent, ajouta Armand.

– Tu connais vraiment tout sur les plantes. Et des tas de choses que tu me caches.

– Tu viens seulement de t'en apercevoir ? J'en connais un rayon, c'est clair. De même que la Caissière. Cela dit, Lila, il n'y a aucune raison d'avoir peur.

C'était la première fois qu'Armand cherchait à me rassurer, ce qui, bien entendu, m'a complètement déstabilisée.

– Je t'en prie, ne te laisse pas emporter par ton imagination. Je ne suis pas malveillant. Je suis sûr que la mandragore t'aidera pendant ton séjour au Yucatán. Si j'étais toi, je tâcherais de m'attacher à une ou deux de celles qui sont ici. C'est un conseil d'ami.

La Caissière a hoché la tête en signe d'approbation.

– Je peux savoir pourquoi elle comprend ton anglais et pas le mien ?

– Parce qu'elle me connaît.

Elle a de nouveau acquiescé.

– Elle ne peut pas me piffer.

– Elle ne te fait pas confiance. Ce n'est pas la même chose. Elle t'en veut d'avoir montré la laverie à Exley parce que tu avais une poussée d'hormones. Elle estime que tu es trop dépendante de ta libido. Dans sa grille de pensée, ça fait de toi une personne dangereuse et imprévisible.

– Et, toi, tu me fais confiance ?

– Oui, Lila, parce que j'ai besoin de toi.

– Pigé, ai-je concédé en jetant un œil sur les milliers de mandragores qui nous entouraient. Parle-moi un peu de cette fameuse *Atropa mandragora solanaceae*.

– La mandragore appartient à la même famille que les pommes de terre. Elle a de grandes feuilles sombres et des fleurs blanches qui tirent sur le mauve et qui se métamorphosent en baies jaunes de la taille d'une pomme avec un parfum délicieux. Cette partie est comestible, ce qui est bon à savoir si jamais tu te retrouves seule au fond de la jungle. Mais autant le fruit est attirant et goûteux, autant c'est dans la partie cachée que les choses se passent. Et c'est cette partie qui fascine les hommes depuis toujours, depuis l'époque de la Bible.

– Les racines ?

– Eh oui ! Tu vois, Lila, on en revient toujours aux racines. Tu te rappelles la première fois qu'on s'est rencontrés, quand je t'ai demandé de rempoter la bouture ?

– Bien sûr que je me rappelle.

– C'était une sorte de test, non pas pour voir si tu étais

capable de la faire repartir, mais pour voir si tu avais des affinités avec les racines. Certaines personnes ont des affinités avec les fleurs, d'autres avec les racines. Si tu avais été incapable de tirer quoi que ce soit de cette pousse, tu ne serais pas ici, en face de moi. Les gens qui ont des affinités avec les racines sont attirés par la face cachée du monde, les parties souterraines, invisibles.

C'est reparti, ai-je pensé.

– Moi aussi, je suis plutôt racines, c'est pour ça qu'on s'entend bien. Mais j'ai attendu longtemps pour rencontrer quelqu'un qui soit du côté des racines.

– Tu m'as attendue ? Mais pourquoi ?

– J'ai mes raisons.

L'idée qu'Armand m'avait attendue me chiffonnait sérieusement.

– On s'est rencontrés par hasard, ai-je répliqué aussitôt.

– Ça dépend ce que tu appelles le hasard.

– C'est parce que tu m'as attendu si longtemps que tu ne veux plus me lâcher !

– Tu deviens un peu parano, là. Je me contente de stimuler ton esprit en racontant des choses qui le touchent. Pour le reste, tout dépend de toi.

– Et Sonali ?

– Sonali est du côté des fleurs, pas des racines. J'ai besoin de quelqu'un de plus solide. (Armand a poursuivi sur la mandragore :) La mandragore a à la fois des vertus médicinales et magiques, et une place à part dans le folklore. D'après moi, c'est la plus importante des neuf plantes, à cause de cette richesse.

– Tu dis ça de chaque plante...

– Elle a des vertus médicinales car sa racine contient un alcaloïde qui appartient au groupe des atropines. C'est un narcotique et un analgésique très puissant, et un très bon anesthésiant, à doses plus importantes. Elle a aussi des vertus liées à la forme incongrue de sa racine, qui ressemble à un corps humain, tantôt homme, tantôt femme. Car cette racine exerce un pouvoir surnaturel sur le corps et sur l'esprit. C'est un aphrodisiaque et un hallucinogène. Réfléchis un peu : ce sont deux qualités dont la combinaison peut provoquer une sexualité délirante. Elle favorise aussi la fertilité. La Genèse raconte par exemple que Rachel, stérile, en a mangé et qu'elle s'est retrouvée enceinte de Joseph. La mandragore provoque chez les sujets sensibles des expériences qui dépassent les frontières du corps, et chez la plupart des hommes des pulsions sexuelles extrêmement violentes.

– Ça m'a l'air génial.

– C'est ce que pensent la plupart des gens qui rêvent d'expérimenter ses pouvoirs. Cela dit, il faut être très prudent, car c'est un poison si tu n'utilises pas les bonnes doses. Beaucoup tombent malades, ou pire. Il ne faut jamais oublier qu'elle appartient à la famille des solanacées, comme le *Solanum nigrum*, qu'on appelle aussi tue-chien ou crève-chien.

– Personne ne risque de l'oublier vu que personne ne le sait. Sauf toi.

– Et toi, désormais.

– La racine a-t-elle jamais été utilisée comme poupée vaudoue ? Vu qu'elle a plus ou moins la forme d'un corps humain...

– Excellente question ! Je n'en ai aucune idée, je n'en ai jamais entendu parler, mais un jour il faudrait essayer ! Tu as entendu ça ? a-t-il demandé en se tournant vers la Caissière.

La vieille femme a plaqué la main sur sa bouche en me fusillant du regard comme si j'étais le diable en personne.

– Si on rentrait ? La nuit va bientôt tomber, ai-je proposé. Je n'aime pas traverser la jungle quand il fait trop noir.

– Ne t'inquiète pas, a répondu Armand en gloussant, personne n'aime conduire la nuit. Les routes sont trop mauvaises. Et tu te rappelles les chiens ? Ils sont encore plus affamés et plus redoutables la nuit. Non, je te propose de rester ici. La Caissière vient gentiment de nous inviter à loger chez elle.

Sérieusement, j'ai cru qu'Armand était devenu fou.

Tu veux dire qu'on va passer la nuit avec elle ?

– Bien sûr. Nous sommes chez elle, et tu devrais avoir la gentillesse de la remercier pour son hospitalité.

– Tu es sûr que c'est une bonne idée ?

– Remercie-la !

– *Gracias*, ai-je lâché avec une hargne qui m'a surprise moi-même.

– *De nada*, a-t-elle répondu, parfaitement neutre.

Sinsemilla

L'herbe incite à chercher à se connaître...
Quand on se découvre soi-même,
on découvre... sa Majesté.

Robert Nesta Marley, dit Bob Marley

N ous avons quitté le marché en passant par la porte arrière, celle par laquelle Exley s'était enfui. Le verrou était par terre, cassé en deux net, comme frappé par la foudre. La Caissière m'a jeté un coup d'œil accusateur.

— C'est vous qui lui vendez des plantes. Alors arrêtez de me regarder comme ça.

— Elle ne comprend pas, a dit Armand.

— Je ne peux pas la voir, cette bonne femme.

— *¡Como se atreve !* Comment ose-t-elle !

— Tiens, tout à coup elle comprend ?

Après cet échange d'amabilités, nous sommes sortis pour aller chez elle. Elle habitait dans une maison en face du marché, de l'autre côté de la route.

— On y est, a annoncé Armand.

— Comment ça, on y est ? Tu es gentil, mais je ne vois

que des tournesols, pas l'ombre d'une baraque. Il y a encore
un truc qui m'échappe ?

– *Los girasoles mantienen el sol fuera y dejan la casa fresca.*

– Tu as compris ? Les tournesols protègent la maison du
soleil et permettent de conserver la fraîcheur.

– D'accord, mais où est la maison en question ?

– Ici, a répondu Armand en m'indiquant un mur apparemment impénétrable de longs tournesols jaunes avec
d'immenses disques noirs et veloutés.

J'ai traversé en tendant la main pour les écarter quand
soudain il s'est précipité devant moi. Il a écarté lui-même
le rideau de tournesols comme s'il me tenait la porte.

– Ne me prive pas du plaisir de t'introduire dans le jardin
très privé de la Caissière. Le jardin des *sinsemillas* martyres.

J'ai jeté un œil intrigué entre les tournesols hauts comme
des arbustes.

– Ne regarde pas. Ferme les yeux et respire un grand
coup !

Je me suis exécutée.

– De la marijuana !

– Mieux que ça, de la *sinsemilla*, la plante de la sexualité
féminine.

J'ai traversé le rideau de tournesols : la maison était au
bout du jardin. La Caissière me précédait, caressant ses fleurs
avec amour et déférence, comme je ne l'avais pas vue faire
avec les mandragores.

– La marijuana adore qu'on la câline et qu'on la titille,
m'a expliqué Armand. C'est la plante femelle la plus excitable de la terre.

– Excitable ?

– Excitable, oui. Ça t'est déjà arrivé, non ? Souviens-toi,

quand tu es en face de Diego ou d'Exley. Même moi, du reste, pour être honnête.

– Comment peux-tu déclarer qu'une plante est excitable ou excitée ?

– Parce que c'est moi qui la provoque.

– Comment ?

– Comme si c'était une femme, en l'émoustillant. Malheureusement, pour stimuler la *sinsemilla*, ce jeu de séduction passe par la douleur. Mais c'est ce qu'elle aime. Les plantes qui produisent du shit réagissent particulièrement bien à la douleur.

J'avoue que j'étais très curieuse d'en savoir plus.

– La *sinsemilla* a besoin d'être violentée : privée d'eau, de nourriture, de mots doux, de tout ce qui pourrait lui faire du bien. Il n'y a aucune raison d'avoir des remords, elle en redemande. Une fois qu'elle est complètement à sec et à l'agonie, c'est le début d'une longue torture. Tu la saisis à bras le corps pour la plier en deux, en évitant surtout de la briser, mais en la courbant à la limite du point de rupture. Comme si tu voulais l'étouffer. C'est tout un art, qui demande de l'entraînement ; on en tue toujours quelques-unes au passage, surtout au début. Mais, au bout d'un certain temps, on sent très bien le point de rupture.

– Mais pourquoi, Dieu du ciel ?

– Pour qu'elle ait l'impression d'être à deux doigts de la mort, mais sans jamais en éprouver la jouissance. Pour le plaisir de la torturer.

– C'est dégueulasse.

– C'est sublime. Car au moment où elle croit mourir ses fleurs éclosent. De belles fleurs pleines de suc, prêtes à être pollinisées, comme un dernier répit avant la reproduction, un dernier effort avant la transmission de ses gènes.

Armand roulait entre les doigts un morceau de résine qu'il m'a donné.

— Tu as vu comme il est collant ? La fleur de la femelle à l'agonie gonfle pour attirer un pollinisateur. Elle devient de plus en plus collante pour retenir le premier grain de pollen. Ça ne te rappelle pas quelque chose ?

— Non.

— Elle est aux abois. Comme toi. Prête à tout pour se faire sauter.

— Moi ?

— Tu as laissé Exley pénétrer en toi.

J'ai répondu par un regard en biais.

— La meilleure *sinsemilla* apparaît quand la fleur atteint sa taille maximale et quand elle est la plus collante. Autrement dit, elle naît de la marijuana qui tend les bras au premier mâle venu, alors même qu'elle est mourante. La *sinsemilla* est le pur produit de la pulsion sexuelle. Voilà pourquoi c'est la plante de la sexualité féminine. Personnellement, j'ai beaucoup de plaisir à l'observer quand elle est en manque. Elle attend le mâle, elle espère, elle guette... Elle déploie des ailes de plus en plus larges, la résine sécrétée par sa glande grossit et mûrit chaque jour. C'est quelque chose ! C'est là qu'il faut la couper pour la fumer.

Il a écarté les feuilles d'une plante en caressant délicatement une petite boule de résine au centre. Je me suis assise sur un rocher qui semblait me tendre les bras, et discrètement j'ai serré les cuisses.

— Elle n'a pas le droit de passer à l'acte ?

— Non. La satisfaction de son désir signerait la fin de son pouvoir.

Je brûlais d'envie de jeter une pluie de pollen sur les glandes de ces pauvres plantes. Je me voyais déjà courant nue autour du jardin et saccageant la récolte. Chacune serait comblée. Tout ne serait qu'un immense champ d'orgasmes vacillant de plaisir.

– *Sinsemilla* signifie « sans semence » en espagnol. C'est justement parce que toute son énergie se concentre à fabriquer de la résine plutôt qu'à faire des bébés que la plante est puissante. Une femelle privée de semence est beaucoup plus forte qu'une femelle ensemencée. Souviens-t'en la prochaine fois que tu voudras préserver ton énergie. Ou avant de faire l'amour. Avant qu'un beau mâle libère sa semence en toi, près de te vider de ton élan vital.

Le jardin respirait le sexe, tel un immense parterre de plantes géantes qui oscillaient et vibraient de désir pur, dégageant une tension irrésistible.

– Ces pauvres femelles se tordent de douleur et de désir, a renchéri Armand. Tu sens cette force inouïe ? Cette pulsion sexuelle qui ne demande qu'à être assouvie ?

– Mais qu'est-ce qu'elles en font ?

– Elles fabriquent de la *sinsemilla* ! Une résine formidable qui donne du plaisir et provoque des visions extraordinaires chez des millions de personnes. Et qui atténue la douleur chez beaucoup de gens. À propos, ça fait un certain temps que tu ne t'es pas fait sauter, Lila, non ? Que vas-tu faire de ton énergie sexuelle ? Qui sait si un jour tu ne créeras pas quelque chose de sublime toi aussi, comme la *sinsemilla* ? Peut-être découvriras-tu en toi un peu du don de cette petite herbe émoustillée qui t'entoure en ce moment.

J'ai regardé la Caissière, la propriétaire de ce jardin merveilleux et infernal.

– Comment empêche-t-on la femelle de se faire polliniser ?

– *Matando los machos*, a-t-elle répondu, très prosaïque. En éliminant les mâles.

— Ou en les châtrant, a ajouté Armand. Mais il faut faire très attention. Tu détruis un mâle à un kilomètre ou deux d'ici et il suffit qu'un brin de pollen revienne, transporté par la brise, pour ruiner toute une récolte.

— Comment distingue-t-on les mâles des femelles ?

— La plante mâle a deux couilles, si je puis me permettre, qui poussent sur la tige. Deux poches qui s'ouvrent pour polliniser le pistil de la femelle. La seule façon d'empêcher le processus est de couper les couilles du mâle.

Armand caressait d'un geste distrait une glande de résine à côté de lui.

— Et si la femelle produit quand même des graines, on peut la fumer ?

— Oui, mais elle mourra peu après. Car elle aura accompli le travail de sa vie, d'un point de vue génétique. Tant qu'elle n'est pas pollinisée, elle conserve sa vigueur sexuelle, parfois très longtemps, et elle peut produire beaucoup de *sinsemillas*. Dans un certain sens, une plante qui n'est pas pollinisée est encore plus femelle.

— *¿Querría usted probar un poco ?* Tu veux un peu de *sin- semilla* ?

J'ai hésité. L'idée d'avoir en moi une femelle qui venait d'être torturée, même une plante, ne m'attirait guère. Cela dit, ma curiosité a eu raison de mes scrupules.

Nous avons fini par entrer dans la maison de la Caissière, une bicoque toute simple dont les murs extérieurs étaient peints en un superbe bleu nuit. Tout, à l'intérieur, était en fibres végétales, lianes et feuilles tressées. Le plateau de la table était en bambou ; le sol et les nattes étaient fabriqués à partir de feuilles de palmier qui semblaient cousues à la main. Un magnifique labrador ronflait tranquillement sur un matelas de feuilles.

— La plupart des meubles sont tressés à neuf tous les jours, a précisé Armand.

Je suis allée caresser le labrador.

— Elle s'appelle Mallorey, a dit la Caissière dans un anglais dont j'ai trouvé la perfection troublante.

— C'est le nom d'un personnage de *Tueurs-nés*, le film d'Oliver Stone, son film préféré.

Cette vieille sorcière connaissait les films d'Oliver Stone ! Je me suis assise et je l'ai regardée recueillir d'une main habile une glande de résine sur un plant de marijuana avant de la rouler entre ses doigts pour en faire une espèce de pièce de monnaie.

— Ça porte bonheur, a ajouté Armand. L'esprit de l'argent mêlé à l'esprit de la plante garantit une vraie belle récolte.

— Si je comprends bien, elle deale ?

— Elle vend de la *sinsemilla*. En outre, elle est propriétaire du marché, des mandragores et d'autres plantes. Mais elle privilégie les plantes médicinales et ne négocie qu'avec les gens qui les maîtrisent parfaitement.

Je me suis appuyée contre le mur, étonnamment confortable, comme la natte de chanvre sur laquelle j'étais assise.

— Tout dans cette maison a été conçu pour le confort. Les murs et le sol sont parfaitement ergonomiques et adaptés au corps humain. Tu verras, quand il faudra repartir. Et tu ne seras pas la première...

Nous avons fumé la *sinsemilla* de la Caissière, et j'ai sombré dans une douce langueur vaporeuse, affalée contre ce mur qui épousait les formes de mon corps.

— Lève-toi, il est temps d'aller cueillir de la mandragore.

— Non, je suis trop bien, ai-je gémi, en proie à un violent désir.

— C'est l'effet de la *sinsemilla*. Allez, tu l'as en toi et il faut en profiter, viens ! Tout de suite !

La Caissière a passé une corde autour du cou du chien, et nous sommes sortis pour retourner dans le sous-sol du marché. Cette fois-ci, je ne me suis pas laissé démonter par la hauteur des marches, en revanche, je ne m'attendais pas au spectacle que j'ai découvert en bas : un parterre de mandragores brillant dans l'obscurité.

— Les vers luisants, a aussitôt expliqué Armand. Ils se posent sur les feuilles et luisent la nuit. C'est un phénomène tout à fait naturel.

— Qu'est-ce qu'elle fabrique ? ai-je demandé en voyant la Caissière fourrer dans ses oreilles de petites boules de chiffon blanc.

— Elle se bouche les oreilles pour ne pas entendre le hurlement des mandragores au moment du déracinement.

— Mais elles ne sont pas dans la terre, elles sont sur les tables.

— Pas toutes, regarde. Il y en a aussi en dessous, et ce sont les seules qui sont assez mûres pour être cueillies.

J'ai jeté un coup d'œil sous les tables, découvrant en effet un tapis de mandragores plantées directement dans la terre. Je n'avais même pas remarqué que la cave n'était pas bétonnée.

— Tiens-moi ça deux minutes, m'a demandé Armand en me tendant la laisse de la chienne.

J'en ai profité pour la caresser et la grattouiller un peu derrière les oreilles. Elle m'a léché le visage et je l'ai prise entre mes bras. Elle était tellement plus chaleureuse que mes deux chaperons !

— Tiens-la bien, a renchéri Armand tandis qu'avec la

Caissière il nouait une corde épaisse autour d'une des mandragores.

« O.K., passe-moi la chienne.

Il a noué l'autre extrémité de la corde autour du cou de
Mallorey.

– *Quédate atrás y cúbrete los oídos.* Recule et bouche-toi
les oreilles.

– Carrément superstitieuse ! me suis-je exclamée.

La Caissière a sorti un gros morceau de viande d'un sac
en plastique qu'elle a agité devant la chienne. Mallorey a
commencé à le renifler et à le lécher, excitée par le goût du
sang. Elle était sur le point de mordre quand soudain la
Caissière a reculé et déposé la viande hors de sa portée.
Mallorey s'est mise à aboyer en piétinant le sol et tirant sur
la corde dont l'autre extrémité était attachée à la mandragore. Elle a bondi en avant en grondant et j'ai cru que la
mandragore allait rompre. Pas du tout : une étrange partie
de tir à la corde s'est engagée, mais chacune résistait, lut-
tait... jusqu'au moment où la mandragore a fini par céder,
glissant pour naître hors de la terre.

Moi qui planais encore à cause de la *sinsemilla*, j'ai eu
l'impression d'assister à un accouchement. La mandragore
a sorti sa drôle de tête, ses bras... et la Caissière a poussé
un cri strident qui m'a transpercé le corps.

– Qu'est-ce qu'elle fout, nom de Dieu ? ai-je hurlé.

– Elle cherche à couvrir le cri de la mandragore au
moment où elle sort de la terre, car certaines personnes
peuvent en mourir.

– Elle a failli me tuer avec son maudit hurlement à elle,
oui !

– C'était pour te protéger. Elle a dû voir des gens foudroyés sur place.

Je plane, je ne comprends rien, ai-je pensé. Qu'est-ce que je fous dans cette cave pourrie avec ces deux énergumènes total siphonnés ?

– Viens, on va examiner un peu la racine.

– *No lo toque.* Il ne faut pas la toucher.

La mandragore avait un aspect tellement répugnant que je me suis juré de ne jamais l'effleurer. Elle ressemblait vraiment à un corps humain : un torse, deux bras tendus en l'air et deux jambes. Un bulbe arrondi faisait office de tête, couvert de poils qui ressemblaient à de l'herbe, comme des cheveux. J'ai très vite compris pourquoi elle suscitait tant de crainte et de hantise. C'était un épouvantable petit gnome, de quelque côté qu'on l'observe.

– On se tire, ai-je lancé.

– J'attends que Mallorey ait mangé, a répondu Armand. C'est elle qui s'est payé le sale boulot, ne l'oublie pas !

Il a lâché la corde, et la chienne s'est précipitée sur le morceau de barbaque sanguinolent. Quelques instants plus tard, quand elle a eu fini de se gaver, nous sommes remontés. Armand transportait la racine dans le sac qui avait contenu la viande.

– *Un momento*, a dit la Caissière en s'arrêtant devant sa caisse pour prendre un pistolet dans une boîte en bois.

– Qu'est-ce qu'elle fout avec ce flingue ?

– On n'est jamais assez prudent.

La route qui longeait le marché était couverte d'une épaisse poussière grise, sans âme qui vive, presque surréelle, comme si nous étions les seuls à l'avoir jamais empruntée. La chienne nous précédait en agitant la queue.

– Mallorey ! a hurlé la Caissière. Mallorey !

Le joyeux labrador a bondi en l'air avant de se retourner vers sa maîtresse.

La femme a brandi son pistolet, visé, appuyé sur la gâchette et tiré sur la chienne, pile entre ses deux yeux. Mallorey s'est écroulée au sol en gémissant. Un sang épais a giclé de sa tête, et la route poussiéreuse s'est métamorphosée en une longue coulée noire.

J'étais sous le choc. Je tremblais. J'ai pris la tête de Mallorey entre mes mains, j'ai posé le visage contre son museau et éclaté en sanglots.

– Redresse-toi ! a hurlé Armand en m'attrapant par le bras.

– Putain, mais qu'est-ce que tu fous ? Qu'est-ce qui se passe, nom de Dieu ?

– Il fallait qu'elle meure.

– Pauvre Mallorey.

– Toutes les semaines, la Caissière dégote une nouvelle Mallorey. Elle les récupère sur la décharge devant laquelle on est passés en venant. Elle n'a pas le temps de s'attacher aux clebs.

– Pourquoi cette salope a-t-elle tué Mallorey ? Je savais que c'était une teigne, mauvaise comme la gale.

– Du calme. Cette chienne a donné sa vie pour les neuf plantes. La part maudite de l'esprit de la mandragore s'est diffusée en elle au moment où elle tirait sur la corde pour la déraciner. Elle a eu le courage de se sacrifier pour ne nous laisser que la part belle. C'est remarquable. Je connais peu de gens qui seraient prêts à offrir leur vie comme ça.

La dernière image que j'ai aperçue de la Caissière fut celle de sa silhouette s'éloignant sur la route, traînant le cadavre sanguinolent de Mallorey dont elle avait attaché les deux pattes avant avec la corde qui avait servi à arracher la mandragore.

– Elle va passer la nuit à réciter des incantations pour les morts et, à l'aube, elle ira enterrer la chienne. Ce ne sera ni la première ni la dernière fois.

« Attends-moi, je vais chercher la moto, a-t-il ajouté, tenant toujours le sac avec la racine hideuse.

– On y va, ai-je lancé dès son retour.

– Plus tu te rapproches du but, rassembler les neuf plantes, s'est justifié Armand, plus les choses ont tendance à se corser, dans le bon ou le mauvais sens.

À peine arrivée à Casablanca, j'ai vu Diego. J'étais tellement contente que je me suis précipitée dans ses bras.

– Tu sens le shit, m'a-t-il dit. Tu m'en as rapporté un peu ?

– Non.

– Si, si, a répliqué Armand en brandissant un gros sachet de *sinsemilla*.

– Lila a été traumatisée par la Caissière, du coup, j'ai pensé que ce serait pas mal d'en avoir sous le coude pour la calmer au cas où.

– Qu'est-ce qui se passe encore avec la Caissière ?

– Rien de spécial. Elle a tué Mallorey après avoir déraciné la mandragore.

– Mallorey *veinte* ? Ou Mallorey *veintidós* ?

– Mallorey *cien*.

Armand et Diego ont éclaté de rire. J'étais écœurée.

– Il y a combien de Mallorey en tout ?

Diego a passé un bras autour de moi. Ses doux cheveux qui sentaient la noix de coco m'ont délicatement effleuré le cou.

– Difficile à dire, a-t-il répondu. Ça fait des années qu'elle cultive des mandragores. À chaque plante arrachée, un Mallorey se sacrifie.

– Pourquoi leur donne-t-elle le même nom ? Ça fait froid dans le dos.

– Pour ne pas s'y attacher.

– Cette vieille bique est incapable de s'attacher à rien ni personne.

– Il te reste encore trois plantes à trouver, m'a chuchoté Diego au creux de l'oreille.

– On vient de trouver la chicorée et la mandragore, ai-je répondu en me lovant contre lui.

– Et la *sinsemilla*. C'est un produit de la *Cannabis sativa*, qui est une des neuf plantes.

– Tu ne me l'avais jamais dit ! ai-je lancé à Armand.

– Je pensais que ce serait plus marrant que ce soit Diego. Vas-y, Diego, raconte-lui.

– *Sin-se-mi-lla*, a-t-il murmuré en faisant délicatement siffler le *s* et prononçant le *ll* comme un *y* mouillé.

J'ai dû lutter pour ne pas l'embrasser sauvagement, comme lorsque nous étions au cœur de la jungle.

– Armand considère que la mandragore est la plante la plus précieuse, mais j'estime que cet honneur revient à la *sinsemilla*. À propos, tu veux en fumer un peu avec moi ?

Je commençais à me laisser aller au creux de son bras quand il m'a lâchée. Un frisson glacial a parcouru mon corps.

– Viens t'asseoir à côté de moi.

Diego avait beau souffler le chaud et le froid, m'éloigner, me rapprocher, je n'ai pas hésité : j'ai bondi pour me serrer contre lui. Sa peau caramel était ma came. J'ai pensé à la peau blanche et aux cheveux pâles d'Exley. À côté, ce n'était rien. Diego avait les couleurs de la terre dont il semblait être issu, alors que nous, nous en étions irrémédiablement séparés.

— Viens, assois-toi.

J'ai jeté un œil autour de moi : Armand avait disparu.

— Armand rentrera un peu plus tard. Il ne fume pas.

J'ai essayé de me rappeler : avait-il fumé chez la Caissière ? Je n'en avais aucun souvenir.

— Pourquoi ?

— L'esprit de la *sinsemilla* est déjà en lui. Il n'en a pas besoin.

— Tu veux dire qu'il plane en permanence ?

— Quand il le veut, plus exactement. Il est connecté à presque tout autour de lui. Il sent ce qu'il veut, quand il le veut. Il est extrêmement réceptif aux émotions. Bonnes, mauvaises, neutres, pour lui, c'est pareil.

Diego était installé sur la banquette taillée dans le mur et couverte d'une épaisse couverture mexicaine bleu et blanc, les mains derrière la tête. Il portait un pantalon de toile blanche noué avec une cordelette ; il était pieds nus et torse nu.

— Je vois que tu n'as plus peur des scorpions, a-t-il dit en désignant mes pieds nus. Ils te fichent enfin la paix.

Il a extrait une bille de résine des feuilles du cannabis et l'a roulée entre le pouce et l'index.

— Sens ça.

J'ai pris sa main et je l'ai portée devant mes lèvres.

— Pas ma main, la résine.

Je l'ai prise entre mes doigts et je l'ai pressée. Elle était collante, telle une bille de goudron chaud, mais elle dégageait un parfum exquis, sucré et épicé, comme la terre autour de certaines plantes.

Diego a ouvert un tiroir sous la banquette et sorti une longue pipe avec un petit fourneau qui ressemblait à un calumet de la paix indien.

– On va fumer avec ça.

La pipe était d'un beau bois couleur cuivre, gravé d'un entrelacs de signes d'une langue mystérieuse.

– C'est une pipe huichole qui appartenait au père de ma mère. Elle me l'a offerte pour mon anniversaire l'année dernière. C'est un peu un bijou de famille.

– Tu es né quand ?

– Le 17 mars 1979, mais ma véritable naissance a eu lieu le 12 janvier 1999, au cours de ma vingtième année.

– Dans quel sens ?

– C'est l'année où je suis devenu moi-même.

– Qui étais-tu avant ?

– Plusieurs personnes, dont aucune n'était vraiment moi.

– Comment tu l'as su ?

– Question de sensation. Disons que je me suis ouvert, mais j'étais toujours protégé et en sécurité. À la fois apaisé et excité. Depuis que j'ai découvert cet état, je n'ai aucune envie de revenir en arrière. C'est pourquoi je considère le 12 janvier comme ma vraie naissance. Crois-moi, une fois que tu sais qui tu es, tu n'as plus envie d'être un autre ni de jouer un rôle.

– Si c'est si génial, pourquoi les gens ont-ils tellement de mal à se connaître ?

– Parce qu'ils ne savent pas que la personne qu'ils sont destinés à devenir dès la naissance est occultée par des années de vie avec les parents, l'école, les efforts pour entrer dans le moule. Chaque année qui passe les étouffe un peu plus, comme un sac de couchage qui se refermerait peu à peu sur leur corps. C'est un processus lent, sournois, jusqu'au jour où la vraie personne disparaît. Le sac est fermé, et elle ne voit plus jamais le soleil.

– On peut en avoir conscience ?

– Oui. De temps en temps, un peu de chaleur pénètre en nous.

Diego a déposé la bille de résine dans la pipe qu'il a allumée. La *sinsemilla* a légèrement crépité.

– J'espère qu'un jour je connaîtrai cet état, apaisée et excitée en même temps.

– Ça viendra, à force de fréquenter Armand. Il touche toutes les personnalités que tu as en toi, et de temps à autre il atteint ton moi profond.

– Un peu vicieux, non ?

– Pas du tout. Il est là pour te rappeler que tu es toujours vivante !

Nous avons fumé en silence. Diego était appuyé contre le mur, les jambes étendues devant lui, les chevilles croisées et les mains derrière la nuque.

J'étais tout près de lui, trop près, car je savais, vu la façon dont ses mains étaient jointes derrière la tête, qu'il n'avait pas l'intention de me toucher. Je brûlais d'envie de le caresser, à tel point que je me suis assise sur les mains pour me l'interdire.

– Tu vas avoir les mains engourdies, a-t-il chuchoté en souriant. Viens, caresse-moi, tu en rêves.

J'ai posé une main sur son nombril et peu à peu j'ai commencé à la promener sur son ventre. Une longue ligne de poils noirs, dont j'ai longuement caressé la texture soyeuse, douce comme les cheveux d'un bébé asiatique, traversait son bas-ventre. Puis je suis montée près du cou, caressant ses beaux poils en V, aussi noirs et brillants. La

Terre pouvait cesser de tourner, plus jamais je ne retirerais mes mains du corps de cet homme.

– Tu aimes ma peau ? Je l'ai enduite d'huile, exprès pour toi.

– J'aime le grain de ta peau plus que tout au monde.

– Mais encore ? a-t-il ajouté avec un sourire alangui.

– Je peux poser mon visage sur ta poitrine ?

– Avec plaisir.

J'ai pris mon temps, je ne voulais pas trahir ma soif, je redoutais qu'il ne fuie face au désir qui m'animait corps et âme.

– Pose ton visage et frotte-le là où tu veux.

J'ai glissé ma joue contre sa poitrine. Sa peau sentait la vanille épicée. Elle était ferme, tendue et vibrait sous mes caresses.

– C'est bon, a-t-il murmuré. Reste.

J'ai levé le visage pour embrasser ses lèvres.

– Tu veux essayer autre chose ? m'a-t-il interrompue.

– Tu n'aimes pas ?

– Si, c'est merveilleux. J'ai juste envie d'essayer quelque chose de nouveau. Mais il faut d'abord que tu te déshabilles. Je vais t'aider.

– Merci, ça ira plus vite toute seule.

– Pas trop vite, Lila. Ça risque de prendre plus de temps que tu ne le penses. Allonge-toi, a-t-il ajouté en se levant.

– Tu te déshabilles aussi ?

– Pas tout de suite.

Je me suis allongée sur la banquette.

– Ne t'endors pas.

J'étais déjà partie, et beaucoup plus loin que je n'aurais jamais osé lui avouer.

Il s'est agenouillé à côté de moi, et lentement il a effleuré mon corps avec son visage, les lèvres à quelques millimètres de ma peau, explorant tout mon corps, jusque sous mes bras et derrière mes oreilles ; il a écarté mes cuisses et j'ai senti son souffle entre mes jambes.

Il est remonté jusqu'à mon visage.

— Ouvre la bouche et respire avec moi.

Il a approché ses lèvres des miennes, inspirant et expirant contre ma bouche. Il a posé la paume de sa main au-dessus, juste au-dessus de mon ventre. Une chaleur exquise se diffusait en moi. Il était si proche que j'en avais mal, si loin que je tremblais, les nerfs à vif. Soudain, n'y tenant plus, je me suis arc-boutée pour plaquer mon corps contre sa main.

— C'est la *sinsemilla* qui te donne cette fièvre.

— Non, c'est toi.

— Elle a diffusé en toi toute son énergie sexuelle. Le hasard fait que j'ai la chance de me trouver avec toi à ce moment-là.

— Tu peux me caresser ?

— Crois-moi, Lila, je te caresse beaucoup plus profondément que tu ne l'imagines. Tiens, fume encore un peu.

J'ai aspiré une longue bouffée de sa pipe, et il a plaqué la main sur ma bouche.

— Il ne faut rien perdre, a-t-il ajouté en posant ses lèvres sur les miennes pour aspirer la fumée recrachée par mes poumons.

Pour la première fois, cette nuit-là, Diego venait de m'embrasser, et j'ai senti quelque chose en moi se briser. Je ne pouvais plus me détacher de lui. J'étais happée, ivre de désir. Il a fini par me repousser presque violemment.

— Je voudrais te montrer quelque chose. Tu veux voir ?

— Oui.

– Fais-moi plaisir, essaie de respirer profondément et de concentrer ta respiration au centre de ton corps. Serre les cuisses et contracte les muscles entre tes jambes. Ensuite, inspire lentement par le nez.

Je me suis soumise en espérant qu'à son tour il obéirait à mes désirs.

Il a posé la main sous mon nombril, comme pour augmenter la torture.

– Respire plus profondément. Aspire l'énergie jusqu'à ce qu'elle pénètre au fond de toi. Voilà, comme ça. Tu sens la pulsation ?

Mon corps vibrait à chaque inspiration, frissonnant de plaisir. J'ai tendu la main vers lui.

– Non. Ton excitation est en toi, elle t'appartient. Cela ne veut pas dire qu'il faut qu'il y ait consommation entre nous. Tu es dans un état de réception totale, de tension sexuelle à l'état pur, tu pourrais faire l'amour avec le feu, le vent ou l'eau. Il suffirait que tu ailles à côté d'un de ces éléments pour absorber leur énergie en toi, l'aspirer en toi jusqu'à ce que tu sois dans le même état, puis que tu te lâches.

J'étais dans un état d'excitation intolérable, mais je savais que Diego ne me toucherait pas. J'ai compris ce que la femelle cannabis devait éprouver avant de se métamorphoser en *sinsemilla*. J'étais en empathie avec elle, entièrement ouverte, offerte, comme une torture sans fin. La naissance de la *sinsemilla* m'est apparue comme l'invention la plus cruelle au monde.

– Tu peux utiliser cette énergie comme tu l'entends. Pour faire l'amour, peindre, préparer un savoureux repas. Elle est là pour être consommée.

– J'ai besoin de faire une pause, l'ai-je supplié, incapable de le regarder en face.

C'était décidé : même si je devais y consacrer toute la nuit, nous ferions l'amour et il me prendrait, allongé sur moi, me procurant un plaisir sans fin, sans tout ce petit rituel bidon de respiration par le ventre. Il me devait ça.

– J'ai faim, a-t-il lancé. Tu n'as pas envie de grignoter un peu ?

– Je vais préparer quelque chose, ai-je répondu, ravie de pouvoir m'éloigner. Je ne voudrais pas que Sa Majesté se dérange, ai-je marmonné.

Je suis allée dans la cuisine et j'ai sorti du réfrigérateur des restes du poulet à la sauce *mole* qu'Armand avait préparé avec les fèves de cacao, puis des bols de flan mexicain...

Soudain, je l'ai vue, là, entre les bols, la racine hideuse de mandragore, avec cette apparence humaine répugnante, la tête en avant. Je l'ai tirée par ses faux cheveux, avec les ongles, comme avec une pince. En moi vibrait toute l'énergie libérée par cette nuit d'amour avortée avec Diego. Elle atteignait l'extrémité de mes doigts pour se diffuser dans la mandragore. Un instant, j'ai eu peur que la racine diabolique ne s'anime sous mes yeux, au milieu de la cuisine.

Je l'ai examinée en pensant à ce qu'Armand m'avait dit. C'était un aphrodisiaque qui provoquait « chez la plupart des hommes des pulsions sexuelles extrêmement puissantes ».

J'ai pris un petit couteau très pointu dans le tiroir et j'ai coupé la racine en deux, entre les jambes, taillant un gros morceau de ce qui correspondait aux organes génitaux. J'ai attendu un instant, comme si elle allait saigner.

Un mortier et un pilon étaient suspendus au mur. Je les ai décrochés, j'ai déposé le morceau de racine et je l'ai écrasé jusqu'à ce que j'obtienne une fine poudre brune. Je l'ai versée sur le flan et j'ai mélangé. La partie se jouait à deux. Si Armand avait dit vrai, Diego serait dans un état d'excitation sexuelle aussi irrésistible que le mien.

– Le poulet est délicieux, se félicitait-il quelques instants plus tard. Armand cuisine comme un dieu.

C'était vrai. Le poulet était tendre et moelleux, et j'avais complètement oublié que j'avais vu la femme, au marché, le tuer sous nos yeux.

– Il pourrait en faire son métier, s'il le voulait.

– Si seulement tu voyais sa laverie à New York ! Elle est magnifique.

– Un jour, peut-être, je viendrai vous rendre visite à tous les trois.

Il a poussé son assiette et plongé les doigts dans le flan. Je n'ai pas dit un mot. Il en a enfourné une immense cuillerée.

J'avais un œil sur mon assiette de poulet, et de l'autre je le regardais dévorer le flan.

– Tu veux que je t'en laisse un peu ? Il est très bon, c'est la spécialité d'Armand.

– Non, vas-y, il en reste dans le réfrigérateur.

Je guettais des signes de changement en lui, mais je n'avais aucune idée du temps que la racine mettrait pour produire son effet. Je me suis calée au fond de la banquette, me remémorant sans fin les paroles d'Armand. *Cette racine exerce un pouvoir surnaturel sur le corps et sur l'esprit. C'est un aphrodisiaque et un hallucinogène... ce sont deux qualités dont la combinaison peut provoquer une sexualité délirante... La mandragore provoque chez les sujets sensibles des expériences qui dépassent les frontières du corps.*

Je me suis blottie contre Diego, j'ai penché la tête contre sa poitrine, quand soudain il s'est écroulé sur moi avant de tomber sur le côté.

Digitoxine
(également appelée digitaline)

La digitoxine est un glucoside cardiotonique largement utilisé pour soigner la fibrillation et la contraction auriculaires, ainsi que les faiblesses cardiaques congestives. Présente dans les ravissantes clochettes mauves de la digitale pourprée, ou sur les superbes ailes noires et veloutées du papillon monarque, elle est sans doute le plus beau médicament naturel jamais conçu.

D iego ! ai-je hurlé en le secouant.
Il a ouvert les yeux. Il avait le regard voilé, l'œil vitreux.

– Je ne peux plus respirer, a-t-il murmuré d'une voix étranglée. Va chercher Armand.

La part sombre de la mandragore, telle qu'Armand me l'avait décrite, m'est revenue en mémoire. *Il ne faut jamais oublier qu'elle appartient à la famille des solanacées, comme le Solanum nigrum, qu'on appelle aussi tue-chien ou crève-chien.*

Comme par hasard, j'avais préféré ignorer cette facette, grisée par la magie et l'attrait factice de la partie la plus séduisante.

– Réveille-toi ! Lève-toi !

En vain. Il ne bougeait plus. Il a entrouvert les yeux qui se sont clos jusqu'à ce qu'on voie à peine l'iris.

Je me suis précipitée dans la maison en appelant Armand, mais personne ne répondait. J'ai couru sous le porche en hurlant pour couvrir le bruit du vent qui rugissait sur l'océan. J'ai aperçu Armand, penché au-dessus de la balustrade du balcon, la tête auréolée par la constellation du Poisson, le signe de Diego.

– Diego a eu un malaise, je n'arrive plus à le réveiller !

– Quoi ?

– Je n'arrive plus à réveiller Diego.

– Tu dois être sacrément bonne au lit, s'est-il exclamé en riant avant de descendre.

Il a soulevé les paupières de Diego, examiné ses yeux et regardé attentivement autour de la pièce, comme si la cause du malaise de Diego flottait quelque part. Décidément, il ne se méfiait jamais de moi quand il le fallait.

J'ai foncé dans la cuisine pour revenir avec la mandragore, brandissant la racine dont j'avais sectionné les organes génitaux.

– Non !

– Si, je l'ai pilée au mortier et j'en ai saupoudré son flan pour qu'il me fasse l'amour. J'ai dû forcer un peu la dose.

Soudain, j'ai pris conscience de la folie de mon geste. Comment avais-je pu concocter une telle potion, comme si j'étais une vieille sorcière ?

Armand m'a arraché la racine des mains en courant vers la porte.

– Tu l'emmènes à l'hôpital ?

– C'est ça, et je vais l'héliporter, pendant que j'y suis ! On est dans la jungle, Lila. Ne bouge plus, reste ici et surveille sa respiration. Fais-lui du bouche-à-bouche. Débrouille-toi.

Je me suis installée à côté de Diego, sans plus le quitter des yeux. À un moment, j'ai cru que sa température montait et j'ai filé à la cuisine prendre un linge mouillé pour le passer sur son corps. Il frissonnait et marmonnait des paroles incompréhensibles, tandis que le vent de l'océan continuait de rugir et que les insectes tournoyaient en bourdonnant.

Peu après, Armand est revenu avec une femme que je n'avais jamais vue. Elle ressemblait à la paysanne maya que j'avais vue tuer les poules au marché. Elle avait de longues nattes noires nouées autour de la tête comme un turban, une robe bleu vif et des spartiates en cuir dont les lacets montaient jusqu'aux genoux.

Elle tenait à la main une cage sur laquelle elle avait jeté une couverture à rayures rouges, blanches et vertes.

– Je te présente Lourdes Pinto, la mère de Diego, guérisseuse ou *curandero*.

J'ai tendu la main, mais elle m'a ignorée.

– Lourdes, je te présente Lila, la jeune femme qui a causé des dommages peut-être irréversibles à ton fils.

Comment osait-il me présenter ainsi ?

– Autant être très clair, comme ça, chacun sait qui il a en face de lui, s'est-il justifié. C'est beaucoup mieux pour la suite.

– Racontez-moi exactement ce qu'il s'est passé entre vous et mon fils, et ne vous croyez pas obligée de m'épargner les détails. Je vous rappelle que je suis sa mère.

J'étais mortifiée. Non seulement il fallait que j'avoue dans quel état d'excitation son fils m'avait mise, mais que nous avions fumé de la *sinsemilla* dans la pipe qu'elle lui avait offerte pour son anniversaire, qui lui avait été transmise par son propre père.

J'ai pris sur moi et dit la vérité. Sans un mot, elle s'est levée, s'est approchée de son fils et a tendu les mains au-dessus de sa peau, comme lui au-dessus de la mienne. Lentement elle les a déplacées, effleurant chaque parcelle de son corps. Ni ses mains ni son visage ne trahissaient la moindre émotion.

– Elle n'a pas l'air très affectée, ai-je murmuré à Armand.

– Je peux t'assurer qu'elle l'est. Mais elle sait que ça ne sert à rien. Au contraire, elle a intérêt à se maîtriser.

Sans quitter des yeux son fils, elle a reculé pour prendre la cage qu'elle avait apportée, soulevé la couverture et découvert... une myriade de papillons monarques.

– Fermez toutes les portes et les fenêtres, m'a-t-elle ordonné en aboyant.

J'ai obéi, et elle a ouvert la cage pour libérer les papillons, qui ont envahi la pièce en allant se poser partout. Il y en avait une telle quantité que les extrémités de leurs ailes se frôlaient et que les murs de la pièce s'étaient métamorphosés en une immense fresque orange et noir.

Elle a commencé par recueillir les papillons qui avaient atterri sur le corps de Diego, transformé en nappe de velours. Un à un, elle les attrapait avec les doigts comme avec une paire de pinces, en les serrant entre le pouce et l'index.

Quand elle en a eu une cinquantaine, elle est allée dans la cuisine pour les déposer dans le mortier (celui que j'avais utilisé pour piler la mandragore) en les tenant toujours par les ailes, broyant leurs corps de un à deux centimètres. Je grinçais des dents. Le crissement des papillons écrasés au mortier était un supplice. Une fois les corps broyés, elle a lâché les ailes pour les piler de la même façon.

– Tu es sûr qu'elle est médecin ? ai-je demandé à Armand, légèrement agacée. Son fils est à deux doigts de la mort et elle est en train de préparer un remède de sorcière !

J'étais outrée. La vie de Diego était entre les mains de cette vieille folle, peu importe que ce soit sa mère. Et ce n'étaient pas des papillons pilés au mortier qui allaient lui sauver la vie ! En plus, j'étais rongée par la culpabilité. Je venais de provoquer des dégâts irréparables pour les beaux yeux d'un homme, une fois de plus.

Lourdes Pinto est revenue avec le mortier, nourrissant son fils à la cuillère avec sa mixture. J'ai attrapé une serviette ; j'ai cru que j'allais défaillir. Quand, soudain, comme si de rien n'était, elle s'est adressée à moi, sur un ton parfaitement neutre.

– Le papillon monarque contient un glucoside cardiotonique, connu sous le nom de digitaline, que nous utilisons au Mexique pour soigner les faiblesses cardiaques congestives, les fibrillations du cœur, la tachycardie, la bradycardie et de nombreux troubles cardiaques. Je vous rassure, je ne suis pas folle. Je suis ici pour soigner mon fils.

J'ai retiré la serviette de ma bouche.

– Diego a un problème cardiaque ? ai-je articulé avec peine.

– Oui.

– Mon Dieu !

– Écoutez-moi bien. Le papillon monarque est un cardiotonique naturel, autrement dit, il stimule l'activité du muscle cardiaque et augmente l'efficacité du travail des ventricules. Je sais très bien ce que je fais, croyez-moi.

– Est-ce qu'on utilise aussi ces papillons... enfin, aux États-Unis ?

– Chez vous, la digitoxine est essentiellement extraite des digitales pourprées. Celle des monarques a les mêmes propriétés. Le papillon dépose ses œufs sur l'asclépiade, qui sécrète des cardioglucosides, et, quand la chenille éclôt et se développe, elle se nourrit de la plante et absorbe cette substance médicamenteuse. Elle la séquestre dans son corps sans jamais l'utiliser ni la rejeter.

– Pourquoi ?

– Pour maintenir les prédateurs à distance. La digitaline a un goût amer qui éloigne les oiseaux. Si tu croises un chaman qui prétend guérir les maladies du cœur, dis-toi bien que c'est un charlatan. Il utilise le même produit que vous, à New York, la digitaline. Il n'y a rien de mystérieux là-dedans.

– Ça marche vraiment ?

– Patience.

– Si je puis me permettre, je...

– Vas-y, je t'en prie.

– Vous n'avez pas l'air très affectée.

– Contrairement à ce que tu penses, j'ai l'esprit très pratique. C'est ce qui me permet de guérir les gens, y compris mon fils.

J'ai jeté un œil sur Diego, qui avait repris quelques vagues couleurs. Ses beaux cheveux noirs étaient trempés, emmêlés et collés sur ses épaules, mais il avait l'air de dormir et semblait plus apaisé.

Lourdes est allée piler une nouvelle poignée de papillons pendant que je lui appliquais des compresses fraîches sur le front. Je commençais à me détendre quand j'ai senti son corps secoué de spasmes.

– Lourdes ! ai-je hurlé.

Armand est accouru et l'a saisi sous les épaules. Il lui a ouvert la bouche : heureusement, il ne s'était pas mordu la langue, mais Armand a maintenu sa bouche ouverte par mesure de sécurité.

— La digitaline n'est pas assez forte, a déclaré Lourdes d'une voix ferme et sourde qui m'a terrifiée.

— Enfile tes chaussures, a murmuré Armand. On fonce chez la Caissière. Elle a toujours des antidotes aux plantes qu'elle cultive.

— Mais elle est à plus de quarante kilomètres. Si seulement il y avait un téléphone dans cette baraque !

— Tu as fini de pester ? Je te demande de mettre des chaussures et on y va. Diego n'a que quelques heures devant lui.

— Quelques heures ? Oh, mon Dieu !

Un beau labrador noir était confortablement installé au pied du mur de tournesols.

— Salut, Mallorey ! a lancé Armand en descendant de sa moto.

J'ai lutté pour ne pas regarder le chien. Je ne supportais pas de connaître le sort qui attendait la pauvre bête.

— Il va falloir tu t'aguerrisses un peu, ma grande. Tu ne peux pas te laisser affecter par le moindre incident.

Le moindre incident ? Assister au spectacle de cette teigne tuant un chien à bout portant, suivi par celui d'une autre pilant au mortier des papillons pour sauver la vie de son fils ? Ce n'était pas exactement ce que j'appelais des incidents, en tout cas, pas dans mon échelle de valeurs à moi.

Armand a écarté le rideau de tournesols, et nous avons traversé le jardin des tortures jusqu'à la maison, en entrant sans frapper.

– Pas de temps à perdre avec des formalités. Chaque seconde compte, y compris celle qu'on perdrait à frapper.

La Caissière était couchée sur une natte de chanvre, allongée tel un fumeur d'opium, endormie.

– *Holà*, Armand, a-t-elle lancé, les yeux clos. *Holà*, Lila.

Brusquement, elle s'est levée, parfaitement droite, comme si son corps était sur des ressorts, sans passer par la position assise ni plier les genoux.

– Tu as vu ça ? m'a lancé Armand. C'est pour ça qu'on est là. Cette femme peut tout faire.

– On est venus parce qu'elle a des antidotes, non ?

– Oui, évidemment.

– *¿Qué puedo hacer por usted ?* Que puis-je faire pour vous ?

– Diego est au plus mal, a répondu Armand. Il a avalé de la poudre de la racine qu'on a rapportée ce matin.

– *¿Qué pasó ?*

– Lila lui en a administré une dose dans l'espoir de se faire sauter.

La Caissière a eu l'air horrifiée.

– Lourdes n'arrive pas à le soigner.

– *¿Ella probó con los monarcas ?*

– Oui, elle a essayé les monarques.

– *Entiendo.* Je comprends.

– On a besoin d'un antidote, ai-je ajouté le plus calmement possible, même si je redoutais les maudits escaliers qui menaient à son donjon empoisonné.

Elle s'est assise sur sa natte pour réfléchir.

– Qu'est-ce qu'elle fout ? ai-je hurlé en m'adressant à Armand. Dis-lui de se lever. Allez, qu'elle bondisse comme tout à l'heure.

– Je ne peux pas la forcer.

— *Sientese, sientese.* Asseyez-vous.

— Je ne vais pas m'asseoir. On n'a pas une minute à perdre. C'est urgent !

— Écoute, si elle s'assoit, c'est qu'elle a ses raisons. C'est la Caissière.

J'ai fini par m'asseoir à côté d'elle avec Armand.

— *El hombre que estaba aquí, el del pelo blanco. Él tomó el lirio del valle.*

— Qu'est-ce qu'elle raconte ?

— Le type qui était là l'autre jour, celui qui avait les cheveux blancs, a emporté son muguet.

— Et alors ? On a besoin d'un antidote.

— Justement, c'est l'antidote. Le muguet est une des neuf plantes, la plante du pouvoir.

— Elle n'en a plus ? ai-je demandé en me levant.

— *El lirio del valle es una planta muy común. Hay muchas, pero no aquí, en México. Yo la trajé, y la crié. Era mi creación. Mi bebé.*

— Je ne comprends rien.

— Elle vient de t'expliquer que le muguet est une plante très commune, mais pas au Mexique. C'est elle qui l'avait rapporté pour le cultiver ici. C'était son bébé.

— On en trouve où ?

— *En los bosques secos de Inglaterra y partes del norte de Asia.* Dans les forêts sèches en Angleterre et dans certaines parties d'Asie du Nord.

— Demande-lui combien il lui en reste.

— *Cuantas tiene ?*

— *Tenía solamente una.*

— Il ne lui en restait qu'une.

Je me suis écroulée contre le mur.

— Pourquoi ne nous a-t-elle pas prévenus quand on a emporté sa mandragore ?

— Elle n'avait aucune raison de nous parler des vertus du muguet tout à l'heure, ç'aurait été une perte de temps.

— *Muchas gracias*, a-t-il dit en se redressant.

— *De nada.*

— Remercie-la.

— *Gracias*, ai-je lâché.

— *De nada.*

Salope, aimable comme une porte de prison, ai-je songé. Je parie qu'elle en a quelque part au fond de sa cave.

L'état de Diego avait empiré quand nous sommes rentrés.

— Et l'antidote ? a demandé Lourdes, à présent au bord des larmes.

— Elle n'en avait pas, a répondu Armand.

Elle a poussé un cri comme seule une mère peut en pousser, un hurlement de loup. Je me suis bouché les oreilles. Car la responsable, c'était moi.

Diego marmonnait comme s'il cherchait à se réveiller d'un trop long sommeil. Quand il entrouvrait les yeux, son regard était ailleurs. Il avait les mains croisées sur la poitrine comme une vieille femme à un enterrement, mais sa douleur était physique. Ou peut-être était-elle aussi morale...

Son corps semblait s'être contracté pendant que nous étions sortis, comme s'il savait que nous n'avions pas d'antidote et cherchait à économiser son énergie en se rétractant. Sa peau était froide et humide, mais il avait l'air de brûler à l'intérieur.

Je suis allée chercher un linge frais, et à peine l'ai-je passé sur son front qu'il est devenu bouillant. J'ai recommencé, rinçant le linge à l'eau froide avant de le lui passer encore et encore, rinçant, frottant délicatement, comme si ce linge pouvait le ramener à la vie. Si seulement je pouvais réveiller le Diego qui communiquait avec l'esprit du daim, le Diego profond, celui qui était né quand il avait déjà vingt ans !

Un sang mousseux a commencé à s'écouler des commissures de ses lèvres. Paniquée, j'ai poussé un cri qui m'a rappelé celui de sa mère. Elle est aussitôt accourue.

– Fous le camp, a-t-elle crié avant de se précipiter sur son fils.

Elle était dans un tel état qu'Armand a dû se jeter sur elle pour qu'elle n'écrase pas son fils. Délicatement, il a tourné son corps sur le côté pour éviter qu'il ne s'étouffe avec son sang écumeux, avant de faire signe à sa mère de se rapprocher. La vieille femme a eu l'air rassurée et a pris le relais pour veiller sur son fils.

– Son état n'est pas encore stabilisé, m'a confié Armand après s'être assuré qu'elle ne pouvait pas entendre.

– Je m'en doutais.

– Il va falloir que tu te débrouilles pour mettre la main sur Exley. Ça ne va pas être une mince affaire. Il doit choyer son muguet parce qu'il détient tout ce dont il a besoin, l'élan vital.

– Et Diego ?

– Victime d'un empoisonnement typique par une solanacée. Tous les symptômes sont là : nausées, pupilles dilatées, et tachycardie ou bradycardie, autrement dit, des battements du cœur trop rapides ou trop lents. Il va avoir des hallucinations, une vision floue, l'impression de trébucher, de voler, et l'impression de suffoquer. Sa peau va devenir complètement blanche, du reste, ça a déjà commencé, puis il aura une éruption de rougeurs. Tout ça suivi par une confusion totale, la peau qui se dessèche et qui peut même se retirer, et un pouls d'abord trop rapide, puis de plus en plus faible. Et la mort.

— En combien de temps ?

— Quelques minutes, ou quelques semaines, ça dépend de la quantité de poison absorbée et du type de solanacée.

— Et comment je fais pour retrouver Exley ? Il peut être n'importe où au Mexique à l'heure qu'il est.

— Il est dans le Yucatán, je te le garantis. Tout ce dont il rêve se trouve ici.

Datura inoxia

*En voilà une qui plaira aux hommes. Car le Datura
inoxia est une plante qui se comporte comme une femme
qui sait qu'elle est belle. Si elle accepte que vous passiez
du temps avec elle, vous sentirez peu à peu son pouvoir.
Mais soyez vigilant : vous serez de plus en plus faible car
vous serez à sa merci. En revanche, si vous la soignez comme
il faut, avec le respect, l'attention et la délicatesse
nécessaires, elle vous le rendra par des visions futuristes qui
dépasseront les bornes de votre imagination.*

J'ai décidé de t'emmener moi-même jusqu'à la huitième
plante, m'a annoncé Armand. Ce n'est pas l'idéal, car les
plantes ont plus de pouvoir si tu les découvres seule, mais
on n'a plus le temps. Il s'agit du *Datura inoxia*, la plante des
visions, des rêves et de l'aventure absolue. Cela dit, il faut
avoir le cœur bien accroché.

– En quoi sera-t-elle utile pour Diego ?

– Elle ne lui sera pas directement utile. Mais elle pourra
te servir à mettre la main sur Exley.

– D'accord, allons-y.

Nous sommes partis à pied vers la forêt, et Armand en a

profité pour me décrire la plante en détail, parlant sans désemparer.

– Le *Datura inoxia* est une plante herbacée qui est soit vivace, soit annuelle. Ses fleurs en forme de trompette ont des nuances qui oscillent entre le blanc et le rose-mauve ou, mais c'est plus rare, le rouge et le jaune. On l'appelle d'ailleurs la trompette des anges. Les femelles sont très hautes, atteignant souvent la taille de petits arbustes, tandis que les mâles poussent en largeur et forment des massifs. La racine de la femelle est très longue et finit en fourche, tandis que celle du mâle est courte et part en fourche dès la tige.

« Le *Datura inoxia* est un hallucinogène plus puissant que le peyotl, la psilocybine ou le LSD. Il est extrêmement toxique et, à trop fortes doses, il peut provoquer une vraie psychose. Par ailleurs, c'est une fleur très romanesque qui dégage un parfum hypnotique inoubliable le soir. Tu sais pourquoi ?

– Oui, ai-je répondu en me souvenant vaguement de ce que m'avait expliqué Sonali. Parce qu'elle se fait polliniser la nuit, donc, elle utilise son parfum pour séduire ses partenaires, comme les êtres humains avant de sortir.

– Où que soit Sonali en ce moment, je sens qu'elle est heureuse, a répondu Armand en souriant. Tu as raison, le datura est pollinisé la nuit par les papillons sphynx.

– Et il va falloir que j'en fume ?

– Pas sûr, non. Les graines de datura se fument, mais elles se consomment aussi pilées dans la bière de maïs, en feuilles de thé ou roulées en forme de suppositoire. Le datura est unique en son genre parce que chacune de ses parties provoque des états visionnaires : les racines, la tige, les feuilles, les fleurs et les graines.

Nous marchions à présent en pleine forêt, et je me suis rappelé mes excursions avec Diego.

— Regarde bien autour de toi, essaie d'identifier notre trompette des anges.

— Je croyais qu'on n'avait pas le temps ?

— Je sais, mais essaie au moins une fois, ne serait-ce que pour Diego.

Nous avons marché encore une bonne heure, et, comme d'habitude, mon T-shirt était trempé et j'étais accablée par la chaleur et l'humidité.

— Je n'arriverai jamais à la reconnaître.

— Courage. On la trouvera parce qu'on n'a ni le temps ni le choix. Je vais te donner un indice.

— D'accord.

— Choisis un arbre qui te plaît, tout de suite. Assois-toi, les semelles bien à plat, les genoux pliés, les épaules détendues et le dos contre le tronc...

J'ai immédiatement repéré un chêne avec un tronc bien large qui formerait un appui très confortable. Sans hésiter, je me suis installée à ses pieds, surprise par la sensation de détente que j'ai aussitôt éprouvée, le dos calé dans un creux qui semblait épouser la courbe de ma colonne vertébrale.

— Les troncs d'arbres ont des lignes de vibration qui descendent des plus hautes branches jusqu'aux racines, dans la terre. Or c'est grâce à ces lignes que les arbres voient tout autour d'eux. Maintenant, tu vas fermer les yeux et imaginer la ligne de ton chêne en lui demandant de t'indiquer dans quelle direction se trouvent les daturas. Dès que tu as la réponse, lève-toi et marche. Ne fais pas attention à moi. Lève-toi et marche.

L'idée d'Armand me semblait inapplicable. J'étais beaucoup trop agitée pour me concentrer.

– N'approfondis pas cette histoire de lignes. Elles existent vraiment, mais à ce stade tu ne peux pas comprendre. Imagine que la ligne descend de haut en bas le long du tronc. Quand tu la visualiseras bien, écoute l'arbre.

Au début, il ne se passa rien, puis, peu à peu, j'ai senti une force m'attirer du côté gauche, à la hauteur de mes côtes. Sans hésiter, je me suis levée et je me suis dirigée par là. La force d'attraction était telle que je n'ai même pas cherché à voir si Armand me suivait. J'ai marché, marché... jusqu'au moment où il a hurlé :

– Stop !

J'ai baissé les yeux et aussitôt j'ai reconnu la fleur rosée en forme de trompette du *Datura inoxia* : elle était presque sous mon pied, et j'étais à deux doigts de l'écraser.

Très vite, j'ai eu l'impression d'être investie d'une forme de pouvoir, comme si je venais de franchir une étape exceptionnelle, entrant dans un monde surnaturel.

– Il ne faut pas que ça te monte à la tête, m'a prévenue Armand. Tout le monde peut y parvenir. Ton corps change depuis ton arrivée au Mexique, et tu es beaucoup plus réceptive, c'est tout. Franchement, ce n'est pas grand-chose. S'il y en a un qui mérite d'être félicité, c'est le chêne. Tu vois, les arbres sont d'excellent conseil pour peu que nous prenions le temps de les écouter. Ils sont, entre autres, très efficaces pour nous orienter.

– Et maintenant qu'est-ce qu'il se passe ?

– On revient vers l'arbre et on coupe une branche courte. Le chêne que tu as choisi est manifestement un ami de notre datura, donc, autant le déraciner avec la branche d'un arbre bienveillant. Sinon, tu risquerais de l'endommager et il ne te procurerait pas les visions dont tu vas avoir besoin pour aider Diego. Cela dit, rien n'est garanti, mais il faut mettre toutes les chances de notre côté.

Quelques instants plus tard, je revenais avec la branche.

– Les trompettes des anges ont horreur d'être déterrées avec des objets métalliques, comme les pelles. À peine éprouvent-elles le contact avec le métal qu'elles se rétractent et retiennent leur pouvoir.

J'ai commencé à déraciner la fleur, mais j'avais du mal.

– Tu ne pourrais pas prendre le relais ?

– C'est toi qui es responsable de l'état de Diego, c'est donc à toi d'intervenir, sans quoi, tu vivras toute ta vie avec la hantise de contaminer les gens ou de tomber malade toi-même. Je ne suis pas sûr que tu y arrives, mais tu as plus de chances que moi. Ton sentiment de culpabilité te donne des forces. Crois-moi, si je savais que je serais plus efficace, je n'hésiterais pas. Diego est comme mon fils. Heureusement que Sonali n'est pas là, sinon, tu ne serais plus de ce monde. Elle n'hésiterait pas à te tuer pour soigner Diego avec ton sang.

J'ai ri jaune.

– Je ne plaisante pas. Elle aime profondément ce garçon, plus que sa mère, et tu as vu à quel point Lourdes le couve !

Impressionnée, j'ai recommencé l'opération déracinement, et lentement, enfin, j'ai réussi à l'extirper.

Sans plus de commentaires, nous sommes rentrés à Casablanca, mais Armand m'avait prévenue que j'avais interdiction absolue de m'approcher de Diego.

– Tu es trop affectée, ça ne sert à rien. Tu dois préserver tes forces pour manipuler le datura.

Il m'a entraînée dans la cuisine et il a pris le mortier pour piler les graines de la plante jusqu'à ce qu'il obtienne une sorte de substance crémeuse épaisse. Entre-temps, il avait plongé la racine dans une casserole d'eau bouillante pour la ramollir. Une fois la racine prête, il l'a également pilée avant de l'ajouter à sa mixture, le tout formant une bouillie compacte. Enfin, il a déposé le bol de pâte dans un filet qu'il a accroché à une poutre au plafond.

– Il faut éviter que la potion soit reliée à la terre. C'est mieux pour les visions.

J'ai regardé le bol osciller en l'air.

– Combien de temps tu vas le laisser ?

– Ne t'inquiète pas, tu vas très vite devoir filer et courir ou, plus exactement, filer et planer.

J'ai entendu Diego gémir dans une pièce voisine, où sa mère l'avait transportée pour l'allonger sur un vrai lit. Chacune de ses plaintes m'arrachait le cœur.

– Essaie de t'en abstraire, tu perds de l'énergie.

La maison entière empestait le vomi, la maladie et la fièvre, alors comment ignorer la culpabilité qui me minait ?

– Les principaux alcaloïdes contenus dans le datura sont la scopolamine, l'hyoscyamine et l'atropine. Ce sont eux qui produiront des hallucinations qui affecteront ta psyché à long terme, voire toute ta vie. Que leurs effets soient bons ou mauvais, ils agiront longtemps et en profondeur. Il faut aussi que je te prévienne d'une chose, car je suis un ami, la plupart des gens passent par une longue période de préparation avant de s'engager. Ils subissent une série de rituels de purification physiques et mentaux. Malheureusement, nous n'avons pas le temps. Ton état physique et mental étant suboptimal, tu vivras sans doute un trip douloureux, ou pire, un trip dont tu risques de ne jamais revenir.

– Comment ça, suboptimal ?

– Ton corps est mou et tu n'as pas conscience de ce que tu ressens. Tu es loin d'avoir la maturité nécessaire pour maîtriser le datura, mais on n'a pas le choix, il faut tenter le coup.

Comment argumenter ? Il était formel.

– Et si les choses tournent mal, tu pourras m'aider ?

– Non. Je ne dis pas ça pour t'effrayer, mais il faut que tu le saches. À vrai dire, même en étant préparé au mieux, l'issue du voyage dépend de la sincérité avec laquelle chacun se lance dans ce voyage et de l'affection que le datura éprouve pour le sujet. Dans ton cas, je dirai que notre fleur t'apprécie sincèrement. Tu n'as eu aucun mal à la trouver et tu tiens toujours debout.

Sur ce, Armand a repris le bol suspendu au plafond et l'a posé sur la cuisinière. Il a versé deux tasses d'un liquide verdâtre et mélangé le tout avant de le faire bouillir.

– Le liquide vert n'est autre que du thé qui sert à parfumer la potion.

Hélas, même avec le thé, la mixture dégageait un goût amer et j'ai eu du mal à l'avaler.

– Le mauvais goût favorise les rêves.

Il m'a emmenée près du lit où était allongé Diego. La chambre sentait la maladie.

– Dis tout haut ce que tu veux obtenir de la plante. Dis tout haut à quel point tu as besoin de son aide. Soit précise, évite d'être abstraite.

– Tu trouves que je suis abstraite ?

– Concentre-toi sur ce que tu veux et ce que tu attends d'elle et dis-le tout haut, a répété Armand d'une voix tonitruante, comme s'il s'adressait à quelqu'un ou à quelque chose que je ne voyais pas.

– Je veux guérir Diego Pinto. Je veux que le datura m'aide à le sauver.

– Non ! Tu es beaucoup trop vague, en plus, tu perds du temps. Une fois que la plante aura commencé à agir, tu ne pourras plus rien lui demander. Si ça se trouve, tu ne pourras plus parler du tout. Dépêche-toi.

Je réfléchissais...

– Dépêche-toi !

– Je veux voir où vit exactement Exley.

– Bien, continue.

– Je veux voir le lieu où il vit et récupérer l'antidote dont j'ai besoin pour soigner Diego.

– Vite. Quoi d'autre ?

– Je veux que le datura me montre la route pour retrouver Exley.

– Plus fort. Mets-y plus de conviction. Il faut que la plante t'entende.

– Je veux que le datura me montre le chemin pour retrouver Exley, ai-je crié.

Peu à peu je sentais que je m'éloignais d'Armand, comme si nous avions chacun un fil accroché dans le dos qui nous écartait l'un de l'autre. J'ai tendu la main vers lui, mais il reculait de plus en plus vite.

– Je suis avec toi, l'ai-je entendu crier.

C'est alors que j'ai reconnu la panthère. Elle était superbe, avec un magnifique pelage noir et soyeux et des yeux vert émeraude. Quel effet cela devait-il faire d'habiter en permanence un corps aussi parfait ? J'étais sidérée : elle ressemblait à Diego.

– Ne t'approche pas, ai-je entendu Armand crier au loin. La panthère est trop puissante. Tu n'es pas prête.

Nous avions dû la voir au même moment, mais comment ? Armand n'avait pas bu de potion.

Je me suis souvenue que Diego m'avait dit avoir vu une panthère noire me suivre dans la forêt. En dépit de la mise en garde d'Armand, j'ai eu la conviction que j'étais prête.

J'ai tâché de me rappeler tout ce que je savais sur les panthères, et j'ai eu la surprise de voir que j'étais assez bien informée. Je savais par exemple que les panthères tuent leur proie en s'attaquant au crâne afin de détruire le cerveau, qu'elles sont donc intelligentes. Qu'elles enterrent soigneusement leurs victimes, si bien que lorsqu'on retrouve les cadavres elles sont déjà très loin, impossibles à repérer, à poursuivre et à tuer. Que ce sont des créatures nocturnes, des êtres solitaires, lunaires, des animaux de l'ombre qui ne font confiance à personne et avancent toujours masqués.

Instinctivement, j'ai pris la piste fumante qui se déroulait devant moi, en suivant la panthère à quatre pattes. Un mur de végétation dense et humide nous entourait, que la panthère abattait de ses puissantes épaules, tandis qu'avec ses pattes munies de coussinets elle aplanissait le sol mouvant de la jungle pour m'ouvrir la voie.

Nous étions plongées dans un silence absolu. Les poils de son corps, de ses pattes semblaient avoir été conçus pour étouffer tous les sons.

J'ai réfléchi. L'obscurité et le silence sont les armes de la panthère. Personne ne la voit. Personne ne l'entend. Pas même la chouette, l'animal nocturne par excellence.

J'avais beau me déplacer en rampant, je n'éprouvais aucune fatigue, car la panthère évoluait à pas furtifs, lentement, serrant sa proie au plus près, un grand daim que je venais d'apercevoir. Elle l'a approché tel un fantôme, à la dérobée, si bien que la pauvre bête n'eut pas le temps de lever la tête pour humer l'air quand soudain la panthère a attaqué. Elle a bondi sur le daim et planté ses crocs dans sa tête, entre les deux grands bois, broyant son crâne d'un seul coup de mâchoire. Après avoir terminé ses agapes, le félin de soixante kilos a saisi entre ses crocs le daim, qui devait peser plus du double, pour le déposer en haut d'un arbre.

La panthère est redescendue, et nous nous sommes reposées côte à côte un long moment. Elle a nettoyé soigneusement son pelage jusqu'à ce qu'il brille à nouveau sous le soleil de minuit, reflétant la végétation et les insectes qui nous entouraient. Je n'éprouvais que crainte et respect pour cette sublime créature.

Nous avons repris notre route pour nous enfoncer dans la jungle, mais l'obscurité était de plus en plus dense et j'avais du mal à distinguer la piste. La panthère devait être sensible à ma détresse car, régulièrement, elle se retournait vers moi, éclairant le chemin grâce à l'éclat vert émeraude de ses yeux.

À l'aube, elle a grimpé dans la cime d'un arbre et j'ai essayé de la suivre, mais j'ai dû m'arrêter aux branches les plus basses. Les pattes de la panthère étaient suspendues au-dessus de moi. Elle dormait. J'ai été tentée de la réveiller pour lui rappeler que nous étions pressées, que Diego, qui avait la même crinière noire et les mêmes yeux incandescents, était en danger de mort, mais comment m'adresser à elle ? J'ai levé les yeux pour l'observer, sans un mot, car je savais qu'elle prisait le silence, et j'ai attendu...

Enfin, le soleil a commencé à se lever, mais la panthère dormait toujours. J'ai fermé les yeux pour me concentrer et repérer la ligne vibratoire de l'arbre afin qu'il m'indique de quel côté je pouvais trouver Exley. J'ai senti que j'étais attirée du côté gauche. J'ai sauté à terre et filé dans cette direction.

Peu après, j'ai découvert une clairière à la lisière de la végétation, avec un vieux cabanon en bois pourri.

J'ai rampé jusqu'au cabanon avant de me redresser pour voir s'il y avait quelqu'un à travers les fenêtres. Hélas, les vitres étaient *sales et rayées. J'ai reculé pour aller me cacher dans la forêt et faire le guet. La porte s'est ouverte... C'était lui.*

J'ai étouffé un cri de stupeur : le datura m'avait bien menée à la panthère noire, qui m'avait menée à l'arbre, qui m'avait conduite jusqu'à Exley. J'ai remercié la panthère en silence. Je me suis retournée pour jeter un dernier regard sur la cime de l'arbre, mais elle avait disparu.

Je me suis réveillée en sursaut sur la banquette. J'étais à Casablanca, et Armand était penché au-dessus de moi, comme une mère.

— Je sais où il est.

— C'est trop tard pour Diego.

— Il est vivant ?

— Oui, mais il ne sera plus jamais le même. Sa température est montée trop haut pendant que tu étais partie.

J'ai pris mon sac à dos et un peu d'eau, et j'ai foncé vers la porte. Je ne voulais pas être responsable de la mort de la seule personne qui méritait que je l'aime !

— Attends, m'a lancé Lourdes Pinto.

Je me suis arrêtée.

— Armand, s'il te plaît, quitte la pièce, a-t-elle poursuivi avant de se tourner vers moi. Déshabille-toi complètement.

— Non. On n'a plus le temps de jouer à ces petits jeux de sorcière.

— Déshabille-toi tout de suite ! a-t-elle hurlé en me fusillant du regard.

J'ai obtempéré. Je me suis déshabillée sur-le-champ.

— Y compris tes sous-vêtements. Si tu veux obtenir le muguet, tu dois te préparer à séduire cet homme.

J'avoue que je n'avais pas réfléchi à la façon exacte dont j'allais récupérer le muguet. Sans doute en frappant à la porte du cabanon, en arrachant le muguet et en prenant mes jambes à mon cou.

– Il faut l'endormir, a poursuivi Lourdes, sinon, il est capable de te tuer. Il est venu au Mexique pour réunir les neuf plantes, comme toi, mais il est beaucoup plus avide. N'oublie pas tout ce dont il a été capable pour obtenir celles qu'il a. Il a volé le muguet de la Caissière et je peux t'assurer que ça n'est pas rien. Cela dit, il le paiera très cher, et pour le restant de sa vie, même s'il ne revoit jamais cette femme.

– Alors ?

– Tu dois le persuader que tu es toujours amoureuse de lui et qu'il te manque affreusement, retrouver l'état dans lequel tu étais quand tu es tombée sous son charme. Surtout qu'il ne se doute de rien. Il ne s'agit pas de feindre des sentiments.

– Pourquoi ?

– Si tu l'aimes, il se sentira en position de force, de domination, et il éprouvera du désir pour toi. Sa libido est son point faible. Quand son désir sera à son comble, quand il sera excité, prêt à se vendre, prends le muguet.

J'avais vécu tant d'expériences étranges que j'étais prête à tout entendre, même de la part de cette vieille chamane. Non seulement elle était la mère de Diego, mais j'étais responsable de l'état de son fils. Je lui faisais confiance.

– Écarte les bras et les jambes.

Elle a ouvert le couvercle d'un pot qui contenait de l'huile et commencé à me masser le corps.

– Le but est d'attiser son désir. Cette huile contient des phéromones qui dégagent l'odeur subtile des organes féminins. Ça va le rendre fou, il sera irrésistiblement attiré par toi, ensorcelé.

Elle m'a enduit les pieds, les orteils, les creux entre les orteils, puis les mollets, soigneusement, remontant jusqu'aux cuisses avant de me caresser entre les jambes. Puis elle est passée aux bras, au dos, aux seins. Elle avait des mains particulièrement expertes et j'étais gênée d'éprouver du plaisir, d'autant qu'elle et son fils partageaient le même savoir-faire, empreint de sensualité. L'huile dégageait un parfum fleuri et musqué, entre la fleur et la bête.

— C'est un mélange de lilas, de jasmin et de musc de daim en rut, m'a-t-elle expliqué tout en me frottant.

Les simples noms de ces ingrédients m'ont excitée davantage. « Lilas, jasmin et musc », répétais-je tout bas. « Lilas, jasmin et musc, oui », ânonnais-je comme une incantation, une exquise litanie.

— Encore, m'a-t-elle lancé.

Je pouvais à peine respirer.

— Encore quoi ?

— Redis ces paroles, a-t-elle insisté en dessinant de petits cercles autour de mes tétons.

— Non, il faut que j'y aille.

— Encore...

— Il faut que j'aille retrouver Exley. Je veux caresser son corps comme tu caresses le mien. Je le veux, lui.

— Rhabille-toi et file.

J'étais à la porte quand elle m'a rappelée.

— Si tu échoues, ne remets plus les pieds ici, sinon, je te tue de mes propres mains.

Muguet
(*Convallaria majalis*)

*Le muguet est connu pour sa faculté à ralentir le rythme
du cœur, quand celui-ci est trop sensible, tout en agissant
comme un cardiotonique. Certains le préfèrent à la digitaline
extraite de la digitale pourprée, car il est moins toxique et se
dilue mieux dans le sang. Le muguet dégage également un
des arômes naturels les plus érogènes, d'où son utilisation
fréquente dans la composition de parfums.
Dès lors, comment s'étonner qu'il stimule
les battements du cœur ?*

P lus j'approchais du cabanon, plus j'étais prudente. Lourdes et Armand m'avaient suffisamment mise en garde sur l'expertise d'Exley et sa connaissance de la flore tropicale. De même, ils m'avaient dit que la meilleure façon de repérer le muguet serait de m'orienter en suivant son parfum, qui ressemblait à l'odeur d'une femelle en chaleur – Exley serait donc sûrement dans les parages. Mais comment reconnaître l'odeur d'une femelle en chaleur ? Tous deux m'avaient assuré que c'était un parfum reconnaissable entre mille, que je ne pouvais pas me tromper.

J'ai encore fait quelques pas. Le cabanon était juste en face de moi, et j'ai décidé de me lancer. J'ai marché droit sur la porte et... j'étais sur le point de frapper quand je me suis retenue. Sous le soleil brillant, le cabanon dégageait une odeur moite et rance, répugnante.

La peinture de la porte, qui devait être bleu pâle à l'origine, était écaillée et le bois semblait en pleine décomposition, plein de taches épaisses, touffues et noires de moisi. La porte semblait vermoulue et j'ai eu peur qu'elle ne s'effondre si je frappais.

Je me suis déplacée vers la fenêtre, j'ai jeté un œil à l'intérieur et je l'ai vu. Instinctivement, j'ai reculé. Il était assis dans un vieux fauteuil colonial au dossier raide, dans l'obscurité, à l'abri des rayons de soleil. Le muguet était posé sur une table à côté de lui. Il veillait sur lui comme s'il pressentait ma venue.

Il avait beaucoup changé. Ses cheveux étaient plus longs, plus fins, plus proches du blanc que du blond argenté dont je me souvenais – ou était-ce moi qui avais fantasmé cette nuance argentée ? Il scrutait le vide devant lui avec un étrange rictus figé, entre sourire et ricanement carnassier.

Comment éprouver le moindre désir pour cet être tapi au fond de ce cabanon sordide ?

– Lila, je suis ravi que tu sois revenue me voir !

J'ai sursauté. Je me suis redressée en rejetant mes cheveux en arrière.

– J'allais frapper.

– Alors, que fais-tu devant la fenêtre ?

– Je n'étais pas sûre que tu sois ravi d'avoir de la visite.

– Tu es toujours la bienvenue. Cela dit, par curiosité, comment as-tu découvert ma cahute ?

– Grâce à un ami qui t'a remarqué.

– Une amie, tu veux dire, a-t-il répliqué en faisant allusion à la panthère.

– Oui, oui. En fait, je suis venue parce que je voulais poursuivre la conversation qu'on a entamée au marché de Xcaret.

– La Caissière est une femme charmante, tu ne trouves pas ?

– Comment as-tu réussi à t'échapper de ce sous-sol ?

– Armand a dû te l'expliquer, j'imagine. J'ai pris soin de laisser un indice derrière moi, en parfait gentleman.

– La chicorée ?

– *Cichorium intybus*, en effet. La plante de l'invisibilité.

– Et tu as trouvé ce pour quoi tu es venu ici ? Les deux plantes que tu as perdues en route ?

– Ça fait longtemps que je suis seul, Lila. Je serais ravi de passer un moment avec toi. Entre. Si nous buvions un thé ? On pourrait bavarder...

– Je ne dis pas non.

Pas question de trahir la moindre hésitation.

– Pardonne-moi, l'aménagement est un peu sommaire. Et je n'ai pas eu le temps de nettoyer, s'est-il excusé en posant une bouilloire sur le feu.

La pièce était d'une crasse innommable, mais j'ai essayé de ne pas y prêter attention.

– Ça m'est égal, ai-je déclaré, en observant les lieux... jusqu'au moment où j'ai aperçu deux petits rongeurs enfermés dans une cage.

– Ils me servent pour m'entraîner à traquer des animaux, s'est justifié Exley. Pas très jojos, je sais, surtout pour séduire les dames.

Plus loin, j'ai reconnu une racine de mandragore hideuse, sous une table sur laquelle était posé le muguet. J'ai tout de suite pensé à Diego. Heureusement, sinon, j'aurais pris mes jambes à mon cou. Le muguet était très haut, flamboyant, de toute évidence très bien entretenu. Puis j'ai perçu une légère odeur de cannabis : un gloxinia mauve était posé sur le rebord d'une fenêtre crasseuse. Exley n'était pas loin des neuf plantes.

Il m'a tendu une tasse de thé dont le bord était d'une propreté douteuse. Les ongles de sa main gauche étaient longs et noirs, ceux de sa main droite courts et propres. J'ai porté la tasse à mes lèvres en faisant semblant de boire une gorgée, effleurant à peine le bord.

Il était calé dans son fauteuil colonial.

– Je suis navré, Lila, pour la laverie. Je tenais à te le dire, mais, quand je t'ai vue au marché, j'en ai été incapable. Je me suis servi de toi pour voler ces plantes, et je suis sincèrement désolé. C'est pour ça que tu es venue, non ?

Pas du tout, je ne m'attendais pas à ce qu'il me demande pardon.

– Je savais que tu reviendrais, même après cette histoire regrettable. Je comptais sur toi.

– Et pour quelle raison pensais-tu que je reviendrais ?

– À cause des neuf plantes. Au fond, tous les moyens sont bons, je dirai même plus, excusables, pour les réunir. Au début, quand je t'ai rencontrée, tu n'étais au courant de rien. Mais aujourd'hui je suis sûr que tu me comprends.

J'ai aperçu un serpent ramper au sol dans le coin de mon champ de vision. J'ai soulevé les pieds pour m'asseoir en tailleur.

– Un ami ?

– Pour ainsi dire. Il est pour moi ce que la panthère noire est pour toi. Une espèce de totem. Il est là depuis le jour de mon arrivée. En réalité, ce cabanon lui appartient plus qu'à moi.

– C'est un serpent à sonnette ?

– Oui. Et l'un des serpents les plus venimeux sur terre. Tu t'en souviens ? Tu l'as vu quand tu as croisé ce jeune chaman, celui qui a volé ta voiture le jour de ton arrivée.

– C'est le même serpent ?

– Oui. D'ailleurs, c'est grâce à lui que j'ai retrouvé ta trace, Lila. Et grâce à lui que je la retrouverai toujours. Tu ne m'as jamais vu ? Je croyais pourtant que je m'étais montré ?

– Si. Je t'ai vu.

Je me souvenais en effet de l'image d'Exley qui m'était apparue quand j'étais avec le petit sorcier.

– Je t'ai sauvé la vie, sache-le, car ce crotale était à deux doigts de te tuer. Ce type de serpent a deux crocs qui agissent comme des aiguilles hypodermiques et libèrent son venin avec une extrême précision dans les veines de sa proie. Du beau travail, simple et efficace. Pas de viscères, pas de sang. Violence à l'état pur. Mort à l'état pur. Ça me plaît.

Il s'est levé pour aller ouvrir la cage des rongeurs qui hurlaient. Il a attrapé un écureuil par la queue et l'a fait tournoyer en l'air avant de le jeter au serpent. L'écureuil a heurté le mur du cabanon avant de s'écraser au sol. Le serpent a planté ses crocs dans la bestiole et aspiré son corps poilu, centimètre par centimètre, jusqu'à disparition complète.

J'avais la nausée et je transpirais.

– Ne fais pas cette tête. Le serpent à sonnette peut aussi être très distrayant. Tu te souviens comme il dansait devant le petit sorcier ? Ça te ferait plaisir de revoir ça ?

Exley s'est retourné pour allumer un poste de radio.

– Je n'arrive à avoir qu'une station. J'espère que tu ne

détestes pas le tambour, c'est tout ce qu'ils jouent, vingt-quatre heures sur vingt-quatre. La plupart du temps ça me rend dingue, mais notre ami apprécie. D'ailleurs, je garde en général la radio allumée. Dès que je l'éteins, il commence à s'agiter et s'attaque à tout ce qu'il peut dans le cabanon.

– À quoi, par exemple ?

– Tout ce à quoi je tiens le plus. Les plantes, hélas, car lui aussi les apprécie. Il les dévorerait volontiers.

– Alors pourquoi le gardes-tu avec toi ?

– J'ai déménagé plusieurs fois, mais il me suit partout.

– Même à New York ?

– Il hante mes nuits et mes rêves.

– Tu as peur de lui ?

– Je passe ma vie à chasser les lapins, les phacochères, les écureuils, les rats et toutes sortes de rongeurs pour lui faire plaisir. Je n'arrête pas de tuer pour satisfaire ses desiderata, pendant que monsieur se la coule douce. Je vis pour lui, j'ai dénaturé ma personnalité pour lui. Tu comprends ? Voilà pourquoi j'ai besoin des neuf plantes.

– Pourquoi ?

– Pour obtenir ce que je veux dans la vie. Pour répondre à mon souhait le plus profond, me débarrasser de ce serpent.

Je tenais dans cette ébauche de confession complaisante le moyen de le séduire. J'ai posé ma tasse dégoûtante et tendu un bras vers lui. J'ai effleuré sa peau, sèche et rugueuse. Assise à côté de lui, j'ai pris sa main dans la mienne en essayant de faire revivre une image, n'importe laquelle, de l'homme fort, viril, à la belle chevelure blond argenté qui m'avait séduite au marché d'Union Square.

– Tu veux le voir danser ? C'est la seule distraction que je peux te proposer. Et, crois-moi, j'ai vraiment envie de t'offrir autre chose que du désagrément.

– D'accord.

Il a mis la radio à tue-tête. On entendait de violents roulements de tambour résonner jusque dans les murs, au-delà des grésillements. Le cabanon vibrait comme s'il y avait un tremblement de terre. Je me suis cramponnée au bras du fauteuil dans lequel j'étais assise.

– Je reviens tout de suite ! a-t-il hurlé. Je vais arranger l'antenne pour éviter la friture.

À peine était-il sorti que je me suis levée pour prendre le muguet. Le serpent a émis un sifflement strident assourdissant, telle une poignée de frites plongées dans une friteuse pleine d'huile bouillante.

– Repose ce muguet, Lila.

Je n'ai pas bougé.

– Je voulais juste le sentir, ai-je répondu en lui tournant le dos.

– C'est bon, tu peux le reposer.

Je me suis retournée et j'ai vu le serpent à sonnette qui bloquait l'entrée. J'ai déposé le muguet sur la table. C'était une question de vie ou de mort.

Exley a tripoté le bouton de la radio comme si de rien n'était.

– Voilà, le son est meilleur, qu'en penses-tu ?

– C'est mieux.

– Viens, a-t-il ajouté en me tendant la main.

J'ai longuement respiré en pensant à Diego pour me donner des forces. J'ai pris sa main, celle dont les ongles étaient longs et noirs.

Le serpent a commencé à se pavaner sur le sol de terre au rythme de la musique, de plus en plus vite, de plus en plus frénétiquement et, bientôt, d'un bout à l'autre du cabanon. Exley et moi nous tenions par la main dans un coin, telle une étrange parodie de couple adolescent un soir de bal scolaire.

– Il va continuer à danser autour de la pièce jusqu'au moment où il n'aura plus assez de place ; il ne lui restera plus qu'à se redresser pour se déployer vers le haut, m'a chuchoté Exley. Tu verras, il déroulera tout son corps avant d'onduler comme une danseuse du ventre. C'est le seul plaisir qu'il m'accorde.

Le fait est que le serpent à sonnette s'est peu à peu déroulé en oscillant d'avant en arrière, secouant ses anneaux en cadence, comme un tambourin, en parfait accord avec les battements émis par la radio.

Exley a lâché ma main. Il a suivi les mouvements du serpent, déroulant son corps comme un long ruban en émettant de curieux sifflements. Le cabanon vibrait à l'unisson. Le spectacle d'Exley évoluant avec ses cheveux blancs qui voletaient et agitant ses longs ongles était hallucinant.

Tel un robot, le regard hébété, je me suis avancée pour me joindre à cette danse macabre. Exley reniflait l'air comme un chien. Il a passé un bras autour de moi et enfoui le visage dans mon cou pour humer l'odeur de ma peau... quand je me suis rappelé que les crotales sont des maîtres de l'hypnose. Ils frappent leur victime à peine celle-ci assoupie par le bruit rythmé de leurs anneaux, ou leurs « sonnettes ». La pensée m'a traversé l'esprit comme une fusée. J'ai arrêté de danser sur-le-champ.

– Reste avec moi, Lila. Tu sens encore meilleur que le muguet.

Bercée par les bras d'Exley et alanguie contre son épaule, j'avais oublié que j'étais venue pour le muguet... quand soudain j'ai entendu une voix. Une voix puissante, qui semblait venir du fond de ma mémoire.

– Réveille-toi, Lila ! Réveille-toi ! Surtout, ne t'endors pas !

C'était la voix d'Armand. J'ai ouvert les yeux comme si j'avais reçu une douche froide.

– C'est le moment de le séduire, tout de suite !

– N'écoute pas Armand, a répondu Exley. Il ment. Il a les neuf plantes et il les a toujours eues.

Exley avait toujours le visage enfoui dans ma gorge, reniflant le parfum de l'onguent de Lourdes comme une bête.

– Je ne comprends pas.

– Réfléchis un peu, Lila. Réfléchis à la valeur exceptionnelle de ces plantes, à leur pouvoir d'exaucer nos vœux les plus chers. Imagine : si tu les avais, tu ne penses pas que tu taillerais une bouture de chacune, dix boutures, une centaine de boutures ? Tu n'irais pas les replanter quelque part ? Dans un endroit caché ? Au cas où ?

J'étais sous le choc. Bien sûr qu'Armand avait dû emporter des boutures. Il était trop malin. Comment n'y avais-je pas pensé plus tôt ?

– Concentre-toi sur Diego, avait-il insisté. Tu dois récupérer le muguet pour Diego, sinon, il mourra. À partir de maintenant, c'est ton seul objectif.

– Qu'est-ce que je fous ici s'il a les neuf plantes ?

– Je ne sais pas, en tout cas, ça n'est sûrement pas pour elles.

J'étais troublée, mais j'avais une certitude, un devoir : sauver la vie de Diego.

– Je t'aime, a murmuré Exley. Armand ne t'aimera jamais comme je t'aime. Il t'a menti et il t'a entraînée dans un piège. Je savais que tu reviendrais.

– Oui, David, je suis là, ai-je chuchoté en frottant mes

seins enduits contre son visage. J'ai toujours regretté de t'avoir quitté.

– Allonge-toi près de moi.

– Ne t'allonge pas, a chuchoté Armand. Si tu t'allonges, tu ne sortiras jamais. Jamais. C'est ta dernière chance de récupérer le muguet.

Exley s'est assis par terre, le serpent endormi enroulé à ses pieds. J'étais debout à côté de lui. Il a passé les bras autour de mes jambes et reniflé l'intérieur de mes cuisses, tel un chien, le nez collé contre ma peau. Je me suis penchée et j'ai pris sa tête entre mes mains.

J'ai pensé au plus beau baiser de ma vie, celui que Diego m'avait offert au cœur de la jungle en glissant dans ma bouche les fèves de cacao au doux goût citronné... et j'ai embrassé Exley. Je l'ai embrassé délicatement, mais avec toute la passion que j'ai pu éveiller en moi. Pour sauver la vie de Diego.

La texture de sa petite langue visqueuse et ses dents noires me dégoûtaient au plus haut point, mais je savais qu'il m'aimait. Il avait beau être corrompu, obscène, voué à me suivre pour m'attacher à lui telle une esclave, c'était un homme, et il avait besoin de moi.

Les paroles de Lourdes ont résonné en moi : *Tu dois le persuader que tu es toujours amoureuse de lui et qu'il te manque affreusement, retrouver l'état dans lequel tu étais quand tu es tombée sous son charme. Surtout qu'il ne se doute de rien. Il ne s'agit pas de feindre des sentiments.*

Je me suis jetée à corps perdu sur Exley, l'embrassant encore et encore, jusqu'à plus soif... Quand j'ai rouvert les yeux, j'ai vu les siens fermés et sa bouche grande ouverte, réclamant toujours plus. Je suis demeurée immobile un moment pour contempler sa passion, la passion la plus folle qu'un homme eût jamais éprouvée pour moi. J'ai laissé glisser mon corps enduit de l'onguent fatal hors de ses bras et saisi le muguet avant de m'éclipser. Je l'avais abandonné à genoux, les bras tendus vers moi. La porte en bois s'est refermée et j'ai entendu un dernier bruit : le sifflement du serpent à sonnette, qui commençait à se redresser.

Plantes tropicales suspendues
(*plantes épiphytes*)

*Les plantes suspendues, surnommées « filles de l'air »,
comprennent les orchidées, les broméliacées et tous les
types de fougères dites « cornes de cerf ». Ce sont des
plantes qui ne poussent pas dans la terre et qui n'ont pas
besoin d'être arrosées. Elles se nourrissent d'insectes et
de feuilles en décomposition et absorbent de l'azote au
moment où frappe la foudre. Que dire de plantes
qui vivent de foudre et de mort ? Il y a là de quoi
alimenter bien des contes et des fables.*

J'ai couru vers la forêt avec le muguet dans les bras. Hélas, il faisait nuit et je ne voyais pas à un centimètre. Je trébuchais sans cesse contre des racines ou des arbustes. J'avais le visage fouetté par les feuilles et les branches, et les insectes me volaient dans les yeux. Le pot de muguet était tellement encombrant que j'ai fini par le faire exploser contre un arbre. J'ai serré contre moi la fleur et les racines avant de reprendre ma course éperdue.

Enfin, quand j'ai eu l'impression d'être assez loin d'Exley, j'ai ralenti, marchant prudemment sous la voûte de la forêt.

Plus j'avançais, plus j'avais conscience que le temps m'était compté et que la vie de Diego ne tenait qu'à un fil, cela dit, je préférais éviter de courir pour ne pas endommager ou perdre le muguet. J'ignorais quelle partie de la plante servait de remède, donc, hors de question que le moindre morceau me soit arraché, perdu à jamais dans la jungle.

L'obscurité était si dense que j'ai préféré me mettre à quatre pattes pour me guider suivant la qualité du sol, instinctivement, comme la panthère noire. Je n'aurais su dire dans quelle direction j'avançais, ni si je m'éloignais ou me rapprochais de Casablanca.

Épuisée, je me suis arrêtée pour me reposer contre un arbre, quand j'ai senti sous mon pied une large feuille : une gigantesque fronde de palmier. Ces immenses feuilles étaient courantes dans la jungle, elles avaient d'ailleurs l'avantage d'être assez grandes pour concentrer suffisamment de la lumière du soleil et permettre de s'orienter dans l'ombre, au moins pendant la journée. Je l'ai ramassée et j'en ai enveloppé le muguet pour le protéger contre la pluie et le vent, et contre mes propres mouvements, souvent brusques à cause de l'obscurité. J'ai continué à avancer, m'arrêtant parfois pour m'allonger sur le sol vaseux, couvert de terre et de feuilles en décomposition.

Lorsque je me suis relevée, j'ai senti mes cheveux se dresser, pleins d'électricité statique. C'était mauvais signe. Une tempête devait gronder alentour. Je me souvenais très bien des propos d'Armand un jour où il cherchait à me rassurer : plus de gens mouraient frappés par la foudre que mordus par un serpent à sonnette. *Tu as moins de trois chances sur cent de mourir d'une morsure de crotale. Si un jour tu dois choisir entre le serpent et Jupiter, choisis le premier, crois-moi.*

Voilà qui n'était pas de bon augure. Je venais d'échapper à un serpent à sonnette. Jusqu'où le ciel allait-il me protéger contre d'éventuelles décharges électriques ?

L'orage a commencé par des éclairs en nappes – des éclairs diffus et circonscrits à l'intérieur des nuages, transformés en d'immenses ballons fluorescents. Ils étaient d'une telle puissance qu'ils transperçaient la voûte formée par la jungle et illuminaient le sommet des arbres, provoquant un éclairage presque surnaturel, tel un immense plafonnier s'allumant soudain. À un moment, la forêt entière s'illumina, et, l'espace de quelques secondes, j'ai reconnu la végétation vert émeraude trouée de deux flashs jaunes, sûrement les yeux d'un animal. Enfin, je venais d'apercevoir quelques repères, je n'étais plus complètement perdue.

Une série d'éclairs rectilignes, beaucoup plus terrifiants, ont suivi : une avalanche de gigantesques étincelles blanches crevant les cimes des arbres avant de s'abattre au sol. C'était le type de tempête le plus dangereux, produit par la rencontre explosive entre la base des nuages chargés d'électricité négative et la terre chargée d'électricité positive. Quand les gens meurent foudroyés, c'est presque toujours à cause d'éclairs rectilignes.

Je me suis précipitée au sol en me recroquevillant pour offrir le moins de prise possible. J'ai vu les éclairs frapper des petites plantes et des arbrisseaux en les anéantissant sur-le-champ. Et j'ai levé les yeux juste à temps pour voir la cime d'un immense arbre exploser en flammes, foudroyé par un ruban de lumière blanche.

La voûte de la jungle s'est embrasée, quand soudain j'ai reconnu, là, sous mes yeux une plante dont je n'avais vu que des reproductions : une broméliacée qui avait disparu depuis si longtemps que tout le monde avait abandonné sa quête. Une plante si rare que même son nom s'était éteint. Le trésor perdu de Sonali. La plante de la passion, ou la plante sans nom.

C'était elle, cette mystérieuse broméliacée : j'ai tout de suite identifié ses feuilles qui s'enroulaient en spirale pour former un petit trou noir au centre. Sonali pensait que c'était une forme de mandala naturel, une image de l'esprit de l'homme. Oui ! j'avais sous les yeux la plante qu'elle et Armand convoitaient depuis toujours.

C'était une plante épiphyte qui n'avait pas besoin de terre pour vivre : elle avait poussé directement sur la souche d'un arbre. Ce n'était pas non plus une plante parasite. Elle n'était accrochée à la souche que pour avoir un appui.

J'ai attendu qu'une nouvelle série d'éclairs illuminent la forêt et, délicatement, je l'ai cueillie avant de l'envelopper dans la feuille de palme à côté de mon muguet.

Armand l'avait baptisée plante de la passion car elle se nourrissait d'éclairs violents comme la foudre. Et seul un être doué d'une passion équivalente pourrait un jour la trouver...

J'ai serré contre moi mes deux précieux trophées et repris ma route. Pour une fois, j'appréciais le grondement du tonnerre car il terrorisait les animaux, blottis dans leurs tanières, et j'étais libre d'avancer sans crainte.

Bientôt, la pluie a cessé et j'ai aperçu le soleil se lever à l'est. J'ai compris dans quelle direction je devais me diriger. J'ai suivi l'apparition de l'aurore jusqu'à ce que j'arrive à la clairière. La route de Casablanca se déroulait face à moi.

Je l'avais échappé belle... mais était-il encore temps de sauver la vie de Diego ? Lorsque j'ai reconnu la piste de terre graveleuse, j'ai couru, couru, puis marché, couru à nouveau... J'avais la plante des pieds en sang, mes chaussures s'étaient volatilisées, ou peut-être les avais-je oubliées dans le cabanon d'Exley, peu importe. Une seule chose comptait : foncer pour avaler les derniers kilomètres.

Je suis arrivée à la porte en boitant. Lourdes Pinto et Armand semblaient m'attendre, imperturbables, comme s'ils n'avaient pas bougé d'un pouce depuis mon départ. Sans un mot, j'ai remis à Armand la feuille de palme. Il l'a ouverte et j'ai vu la stupeur sur son visage quand il a découvert la plante de la passion. Il l'a prise délicatement, tel un nouveau-né, avant de la déposer dans ses bras, en la choyant telle Sonali.

– J'ai fait le bon choix, a-t-il murmuré.

Pendant ce temps, Lourdes remplissait une cuvette d'eau chaude pour soigner mes pieds en sang.

L'attitude de Lourdes et d'Armand m'a rassurée, j'avais bien fait d'aller jusque chez Exley. Ni l'un ni l'autre n'avait le visage ravagé par les sanglots. Diego était en vie.

J'ai mis les pieds dans la cuvette d'eau chaude qui a viré en un bain de sang. J'étais assise dans la cuisine, la joue posée sur le plan de travail, les bras tendus devant moi, goûtant mon repos. Je regardais Lourdes manipuler le muguet, séparant soigneusement la racine, la tige et la fleur.

– Normalement, on cueille toute la plante quand elle est en fleur, puis on la sèche, m'expliquait Armand, rythmant ses paroles en frappant le plan avec sa spatule antiscorpions. Mais on n'a pas le temps de la faire sécher, donc, c'est un peu de l'improvisation. La fleur est la partie la plus précieuse de la plante car elle concentre deux principes actifs, qui sont deux glucosides. Le premier est la convallamarine, la substance la plus active. Elle se présente sous la forme d'une poudre blanche, cristalline, qui se dissout très facilement

287

dans l'eau ou l'alcool et produit le même effet sur le cœur que la digitoxine. Le second est la convallarine, qui se présente sous la forme de petits cristaux en forme de prismes ; elle est soluble dans l'alcool, un peu moins dans l'eau, et elle a des vertus purgatives. C'est elle qui devrait permettre à Diego de se débarrasser du poison en vomissant. Le but est d'extraire de dix à trente gouttes d'essence qu'on lui donnera à la cuillère.

Lourdes Pinto a fait bouillir la plante jusqu'à ce qu'une partie de l'eau s'évapore, puis elle a versé la décoction dans une petite fiole en verre qui avait la taille d'un compte-gouttes. Elle s'est dirigée vers la chambre de son fils et j'ai retiré mes pieds de la cuvette pour la suivre. J'étais épuisée, mais je tenais à être témoin de la guérison de Diego.

– Pas tout de suite, m'a lancé Armand en me retenant. On a de la visite.

– Je n'ai entendu personne arriver.

– Fonce ! a-t-il crié à Lourdes.

Elle a filé vers la chambre au moment où la porte a coulissé : Exley !

J'ai agrippé le bras d'Armand. J'étais au bord de l'évanouissement.

– Qu'est-ce que tu veux ? ai-je murmuré.

– Récupérer ce qui m'appartient, a-t-il répondu avec un calme inquiétant. C'est tout ce que je te demande, Armand. Je serais désolé que vous m'y obligiez, a-t-il ajouté en brandissant une machette rouillée. Tuer n'est pas dans ma nature.

– Tu m'as suivie jusqu'ici ?

– Tu n'es qu'une amateur, Lila. Tu as laissé derrière toi

une odeur de femelle répugnante, facile à suivre pour n'importe qui doué d'un peu de nez.

— Tais-toi, m'a ordonné Armand en se tournant vers moi. Pas un mot. Il ne faut pas qu'il t'entende parler. Surtout, ne le laisse pas s'immiscer dans ton esprit.

Exley avait le regard rivé sur la plante de la passion. Soudain, un éclair a illuminé son visage.

— Ah ! voilà ce que tu cherchais ! C'est après ça que tu courais depuis tout ce temps. Dis-le-lui, Armand. Dis-lui enfin la vérité.

« Tu as été exploitée comme tu n'as pas idée, a poursuivi Exley en s'adressant à moi. Armand ne t'a pas fait venir ici pour réunir les neuf plantes. Il n'avait qu'un seul but, trouver la plante de la passion, celle qui n'a pas de nom.

— Empêche toute connexion avec lui, Lila, a répété Armand.

— Je t'aimais, Lila, a répondu Exley. Armand ne t'a jamais aimée, lui. L'unique amour de sa vie est cette plante. Il s'est servi de toi comme d'un pion, ni plus ni moins. Il t'a maltraitée comme jamais je n'aurais osé le faire. Pour lui, tu as frôlé la mort plusieurs fois, de même que Diego. S'il est en danger de mort, c'est à cause d'Armand et de sa quête effrénée, pas à cause de toi.

J'ai jeté un regard soupçonneux à Armand, qui secouait la tête en signe de dénégation.

— Il s'est servi de toi car il sait, comme moi, que tel est ton destin : vivre au service d'un homme, comme une catin. La différence entre lui et moi, c'est que je t'ai offert de l'argent. Tu t'en souviens ? Je t'ai payée pour la bouture d'oxalide. Mais lui, que t'a-t-il offert ?

Comment ne pas être sensible aux propos d'Exley ? S'il avait raison, si Armand s'était servi de moi pour obtenir la plante de la passion, comment pourrais-je lui pardonner d'avoir mis en danger la vie de Diego ?

— Ne le laisse pénétrer en toi, a-t-il répété. Il a essayé de t'endormir dans son cabanon, ne l'oublie pas, et il était prêt à te tuer, ou pire.

La voix d'Armand ne trahissait pas la moindre émotion, mais je sentais sous ma main son bras qui tremblait. Sa nervosité me déstabilisait au plus haut point.

— Que veux-tu ? a-t-il repris.

— Le muguet.

— Laisse tomber. La mère de Diego l'a dépecé pour le faire bouillir. Il est dans le corps de son fils. Voilà pourquoi Lila en avait besoin.

— Dans ce cas, je tuerai Diego.

— Je t'interdis de toucher à Diego, ai-je hurlé, sortant soudain de ma torpeur.

Y avait-il un fusil, un couteau, n'importe quelle arme qui traînait dans la maison ?

— Toujours pas satisfait ? a repris Armand, aussi calme, comme s'il connaissait la réponse.

— Lila est à moi !

— Non, je ne suis pas à toi !

— Chut..., a lancé Armand.

— Je l'aurais eue dans mon cabanon si tu ne t'étais pas immiscé dans son esprit au dernier moment.

— Lila n'est pas une marionnette accrochée à un fil.

— Je sais, et c'est pour ça que je suis ici, pour couper les fils avec lesquels tu la manipules, a répondu Exley en brandissant sa machette rouillée.

— Les fils ? Quels fils ?

— Toi et moi, nous sommes reliés par des liens particuliers, des lignes, comme celle que tu as sentie sur l'arbre...

Soudain, Armand s'est précipité au sol en m'entraînant dans sa chute. L'air a sifflé au-dessus de nous, balayé par un long coup de machette. J'ai hurlé, et Armand m'a repoussée avec une telle violence que j'ai été projetée à l'autre bout de la pièce.

Il s'est relevé au moment même où Exley brandissait sa machette, mais, du haut de son mètre quatre-vingt-quinze, il le dominait. Avec un geste d'une grâce inouïe, une souplesse étonnante que j'avais déjà remarquée chez lui, il a empoigné Exley en le secouant en tous sens tandis que la machette fouettait l'air en sifflant. Il a poussé Exley sous la *piñata* en forme d'âne accrochée au plafond, le contraignant à frapper dessus à coups de machette. Le papier mâché a cédé et la *piñata* a explosé, et brusquement Armand a relâché son emprise et foncé hors de la pièce. Un déluge de scorpions s'est abattu sur Exley, qui a hurlé sous la pluie de dards préhistoriques frémissant pour lui inoculer leur venin. Exley brandissait sa machette pour tuer les scorpions, telle un furie, poignardant à tort et à travers et se blessant au passage, fou de douleur. Les scorpions ont envahi sa chevelure, son visage, sa poitrine, ses vêtements, injectant leur venin. Il s'est écroulé, terrassé.

Je l'observais de l'autre côté de la pièce, le souffle coupé, incapable de le quitter des yeux, jusqu'au moment où il ne fut plus qu'un cadavre couvert de sang et de scorpions.

– Tu te souviens de ce que les enfants disent ? m'a demandé Armand.

– « Casse la *piñata* et chasse le *mañana* ! »

– La vérité sort de la bouche des enfants.

J'ai flanché, physiquement et mentalement, victime de la pression qui m'assaillait depuis vingt-quatre heures. Je ne me souviens que d'une chose : j'étais transportée dans les bras d'Armand dans un lieu sombre et confortable.

Deux jours plus tard, je me suis réveillée et suis sortie me promener avec Armand sur la méchante pelouse qui dominait l'océan.

— C'est vrai que tu ne cherchais pas à réunir les neuf plantes ? Réponds-moi, j'ai besoin de savoir.

— Oui. Là-dessus, Exley avait raison. J'ai une énorme réserve de boutures.

— Pourquoi m'as-tu caché la vérité ?

— Tu crois que tu aurais abandonné ta vie à New York pour la plante de la passion ? Tu aurais accepté de traverser toutes ces épreuves ?

— Non.

— Eh bien ! Voilà.

— Ça ne te gênait pas de voir à quel point je me sentais coupable, et depuis le début ?

— J'avais besoin de toi pour trouver la plante de la passion. Ton sentiment de culpabilité était le meilleur moyen pour moi de te convaincre de venir au Mexique et de ne jamais abandonner. Le cambriolage de la laverie est un détail, presque un hasard.

Nous nous sommes assis en silence pour regarder les pêcheurs remonter leurs filets.

— Quand je t'ai rencontrée, a repris Armand, très vite, tu m'as avoué que tu n'aimais pas ton boulot et que si tu pouvais choisir, ce dont tu rêvais, c'était l'aventure, l'amour et l'argent. Tu te rappelles ?

— Oui.

— Tu penses avoir obtenu tout ce que tu voulais ?

— C'est difficile à dire.

– L'aventure ?
– Au-delà de mes espérances.
– L'amour ?
– Oui, ai-je répondu en pensant à Diego et à moi, à Armand et à Sonali.
– L'argent ?
– Pas sûre.
Il a ouvert sa sacoche et sorti une petite bouture.
– Je l'ai taillée sur la plante de la passion. Le monde entier croit qu'elle a disparu. Nous sommes les seuls à être dans le secret. Prends cette bouture. Elle est sans prix. Elle te rapportera énormément d'argent.
– Mais pourquoi tenais-tu tant que ça à la débusquer ?
– Je possède tout ce dont j'ai envie dans ce bas monde, tout, sauf le bonheur de Sonali. La seule chose qui lui importe, et qui m'importe à moi, c'est cette plante. À présent, je sais qu'elle et moi nous serons comblés.
– Dernière question.
– Je t'en prie.
– Comment savais-tu que je finirais par la découvrir en venant au Mexique ?
– La fougère de feu était un test. J'ai vu défiler dans ma laverie des milliers de personnes, j'ai discuté avec une multitude de gens, mais seules dix personnes ont eu droit à cette bouture. Et, sur ces dix, seule la tienne a pris racine. Voilà. En plus, tu m'as tout de suite plu. Crois-moi, on ne serait pas ici ensemble si je n'avais pas un petit faible pour toi. Je n'aurais jamais pris le risque de me lancer dans une telle aventure avec quelqu'un qui ne me plaisait pas. Surtout à mon âge.
– Quel âge as-tu ?

– Tu vois ces collines en face de nous ? a répondu Armand avec un petit rire.

– Et si je ne l'avais jamais trouvée ?

– Ne t'inquiète pas, on serait restés ici jusqu'à ce que tu la déniches. Car c'est la plante numéro dix, qui ouvre un nouveau cycle pour toi. Elle est au cœur de ton destin, et désormais elle signe ta contribution à la légende.

– Je ne sais plus si j'ai envie de rentrer à New York.

– Tu rentres demain. Je t'ai réservé un billet d'avion.

– Je ne me sens pas prête.

– Tu dois retourner dans ton monde pour l'envisager sous un nouveau jour. Enfin tu comprendras ce que tu veux et qui tu es. Et tu pourras faire de vrais choix.

Armand a passé un bras autour de moi avant de me serrer contre sa poitrine.

– Je peux aller voir Diego ?

– Il t'attend.

Diego était encore alité, mais il avait retrouvé son beau teint basané et noué ses cheveux, qui semblaient avoir poussé pendant la nuit, en une longue queue-de-cheval. Il était plus rayonnant que jamais. Le muguet avait fait des miracles.

Je me suis penchée sur lui et j'ai glissé l'élastique autour de ses cheveux pour les libérer, respirant ce doux parfum de noix de coco que j'aimais tant.

Il s'est assis et je l'ai pris dans mes bras en le serrant très fort.

– Je te demande pardon, c'est à cause de moi que tu es tombé malade.

– Oui. Moi aussi.

– Tu me demandes pardon pourquoi ?

– Pour t'avoir provoquée à outrance. Si j'avais couché avec toi comme tu en rêvais, rien de tout ça ne serait arrivé, a-t-il répondu avec son beau sourire de loup.

– C'est moi qui ai trouvé l'antidote.

– Je sais, et je sais ce que tu as enduré.

– J'ai aussi découvert la broméliacée qui n'a pas de nom.

– Raconte-moi comment, m'a-t-il chuchoté dans le creux de l'oreille. Dis-moi tout.

– Tu es sûr ? Tu veux vraiment que je te raconte ?

– Oui. Je veux connaître notre histoire. Raconte-moi notre histoire.

– Tout a commencé le jour où je t'ai rencontré dans la forêt, le jour où j'ai failli écraser le cycade et le gloxinia. Heureusement, tu m'as arrêtée juste à temps.

– Et je t'ai obligée à retourner sur tes pas pour tailler une vigne de lune.

– Le cordon ombilical, comme tu l'appelais.

– On est rentrés à pied à Casablanca à travers la forêt.

– Puis en longeant l'océan.

– J'avais déjà un faible pour toi.

– Moi aussi. C'est toi qui m'as présenté Tamatz Kuhullumary, le roi des daims.

– Je t'ai fredonné sa chanson.

– Et il nous a guidés jusqu'au *Theobroma cacao*.

– Deux fois j'ai vu la *Panthera onca* qui te suivait dans la jungle.

– Je n'aurais jamais dû aller au marché sans toi, mais tu dormais quand on est partis.

– Tu as fait connaissance avec la Caissière.

– Et découvert la mandragore et la *Cichorium intybus*, la plante de l'invisibilité.

– Et Mallorey *cién*.

– Oui, pauvre Mallorey.

– Tu as fumé de la *sinsemilla* et tu étais au septième ciel.

– Tu veux dire que je n'étais plus qu'un sexe offert.

– Tu as absorbé en toi tout le côté femelle de la *sinsemilla*.

– C'est pour ça que j'avais tellement envie de toi, pour ça que j'ai versé de la poudre de mandragore dans ton bol.

– Pour ça, mais aussi parce que tu m'aimes ?

– Je t'aime.

– Oui.

– J'ai bu une potion à base de *Datura inoxia* et j'ai suivi la panthère noire, à la recherche de l'antidote.

– Tu as découvert les lignes vibratoires des arbres.

– Comment le sais-tu ?

– Mon intuition.

– J'ai goûté et respiré le parfum du muguet, mais je préfère l'odeur de ta peau.

– Moi, je préfère la tienne.

– J'ai dansé avec un serpent à sonnette.

– On en rencontre souvent, dans la vie.

– Enfin, sous un éclair foudroyant, un immense arbre s'est embrasé et j'ai reconnu la broméliacée sans nom.

– Tu sais que c'est un phénomène exceptionnel, un arbre qui prend feu au milieu d'une forêt tropicale tellement humide ?

– Et, sans le savoir, j'ai découvert la dixième plante.

– Grâce à la passion qui t'anime, Lila. C'est toi qui as enflammé cet arbre.

– Je t'aime.

– Moi aussi, je t'aime.

– Voilà, telle est notre histoire.

– Oui.

— C'était donc vrai : quiconque rassemble les neuf plantes voit ses vœux les plus chers exaucés.

— C'est vrai.

— Si nous les énumérions ?

— La vigne de lune, le gloxinia, le cycade, le *Theobroma cacao*, la mandragore, la chicorée, la *sinsemilla*, le *Datura inoxia*, le muguet, et la dixième, la broméliacée sans nom.

— Tu veux voir toutes les plantes rassemblées ? m'a proposé Armand. Elles sont en train de buller sur le balcon. À mon avis, elles seraient ravies de ta visite.

Je suis sortie avec Diego. La journée était superbe et le soleil brillait ; nous en avons profité pour faire un détour par le terrain herbeux. Pas une seule fois je n'ai baissé les yeux car je savais que les scorpions étaient de mon côté. Ils avaient tué mon unique ennemi.

Nous sommes montés sur le balcon, et je me suis accoudée à la balustrade pour regarder Lourdes Pinto, la mère de Diego, debout devant sa *palapa*. Elle lavait du linge sur des rochers, dans la mer, comme si de rien n'était.

— Où est Exley... je veux dire, son corps ?

— Armand et ma mère l'ont jeté à l'eau. Elle est en train de laver leurs vêtements, qui étaient couverts de sang.

Les dix plantes étaient alignées sur une table en bois selon l'ordre dans lequel je les avais trouvées. Chacune avait été rempotée et s'abreuvait de la lumière, tandis qu'un tuyau projetait sur elles une fine vapeur d'eau. Elles étaient épanouies, resplendissantes, s'élançant vers le ciel.

J'ai fait plusieurs fois le tour de la table pour les admirer de tous les côtés. Puis Diego et moi sommes tombés dans les bras l'un de l'autre.

— Tu rentres à New York, n'est-ce pas ?

– Je n'en ai aucune envie.
– Tu reviendras au Mexique ?
– J'en rêve, ai-je répondu avec un sourire.
J'ai jeté un dernier regard derrière moi.
La dixième plante commençait à peine à fleurir.

III
New York

J e suis rentrée au milieu de juillet, un des mois les plus chauds à New York. La chaleur était telle que le goudron devant la file de taxis de l'aéroport Kennedy collait sous les semelles de mes baskets. J'ai cru que j'avais marché sur du chewing-gum, mais c'était le trottoir qui fondait, littéralement.

Je n'insisterai pas, mais il est clair que cette chaleur n'avait rien à voir avec celle du Yucatán. Je ne m'étendrai pas non plus sur la vieille querelle chaleur versus humidité. La chaleur était plus chaude. Point barre. Nulle brise de l'océan ne soufflait pour l'atténuer. Elle venait des réacteurs, des générateurs, des transformateurs, des moteurs d'avions et de voitures, des climatiseurs, des pots d'échappement. Et le tout donnait un air beaucoup plus difficile à supporter que la chaleur du soleil adoucie par les brises qui soufflaient dès la fin de l'après-midi à laquelle j'avais fini par m'habituer. En outre, il y avait à New York une odeur et un goût pénibles que mon corps rejetait comme une substance étrangère : je toussais, j'éternuais, je suffoquais. C'était un cauchemar, et j'en ai voulu à Armand de m'avoir obligée à rentrer en plein été plutôt qu'en automne.

Cinquante dollars, et je suis rentrée dans Manhattan en taxi. Pour la même somme, je passais plusieurs mois sur la Costa Maya.

Heureusement, ce retour avait un avantage : mes bagages étaient plus que légers. Je n'avais rien rapporté, pas même mon sac à dos. J'avais laissé tous mes habits au Mexique, car ils étaient soit usés jusqu'à la corde, soit déchirés après mes excursions. J'avais découvert le bonheur de porter des vêtements jusqu'à l'usure totale, beaucoup plus satisfaisant que le réflexe de les balancer parce qu'ils étaient passés de mode. J'avais l'impression de revenir à ce plaisir de l'enfance, quand on porte un pantalon déchiré aux genoux ou quand on grandit si vite qu'un beau jour on explose dans une robe ou un pantalon comme s'ils étaient en papier.

Je voyageais léger en tout, sauf en mon cœur, qui, lui, appartenait à Diego et à Armand, et aux dix plantes de Casablanca.

J'ai demandé au chauffeur de me déposer au marché d'Union Square. J'ai tout de suite reconnu le M. Carottes et sa centrifugeuse répugnante, les massifs de roses à moitié mortes, le vendeur de muffins aux pépites de chocolat et framboise, jusqu'au moment où j'ai repéré le lieu où j'avais fait la connaissance d'Exley : le stand où j'avais acheté l'oiseau de paradis.

Il était occupé par un type qui vendait aussi des fleurs, de lamentables plantes d'appartement et de la verveine odorante déjà fanée. Les pauvres ! Elles avaient l'air si chétives, déshydratées, malheureuses comme des animaux de zoo. Leurs feuilles étaient toutes rabougries, mal arrosées, et semblaient s'accrocher à la vie en se blottissant contre leurs tiges au lieu de s'épanouir et de s'ouvrir au soleil comme les ailes d'un oiseau. La plupart des fleurs, couvertes de taches brunes, ployaient vers le sol... Tel était le spectacle que je trouvais le plus naturel au monde avant d'aller au Mexique.

Je suis restée quelques instants devant l'ancien étal d'Exley quand j'ai cru l'entendre hurler. Le cauchemar de son corps agonisant sous le déluge de scorpions m'est revenu en mémoire. L'oublierais-je un jour ? Non, sans doute jamais, et c'était normal. Exley faisait aussi partie de mon voyage. Il m'avait offert l'occasion de me dépasser en luttant contre les éléments pour en conquérir de nouveaux. Grâce à lui, j'avais acquis une nouvelle force. Je l'ai remercié en silence.

Quelques instants plus tard, j'ai ouvert la porte de mon appartement, mais je me suis arrêtée dans l'entrée, sidérée par l'exiguïté de l'espace. Kody m'attendait, assis sur la chaise style Adirondack, pile là où je l'avais laissé, les pieds sur la table basse et fumant un pétard.

– Tu as l'air en forme, m'a-t-il dit en guise d'accueil. Moins coincée. T'as dû fumer comme pas possible au « Messique ».

– Arrête de prononcer « Messique ».

– Je n'ai pas quitté ton appart. Ton oiseau de paradis n'arrêtait pas de tomber, du coup, j'ai fini par m'installer pour pouvoir le redresser, comme un bon petit soldat.

Le fait est que mon oiseau était devenu immense. Il devait mesurer près de trois mètres et semblait balayer le plafond.

– Tu t'es débrouillé comme un chef.

– Tu restes ici ou tu repars t'installer là-bas ?

– Pourquoi me poses-tu la question ?

– Oh, je me disais... si tu repars, je me glisse dans tes bagages. Sympa, non ?

L'oiseau de paradis n'avait rien à voir avec les plantes que je venais de voir au marché. Sa santé resplendissante était la preuve qu'il appartenait à la forêt tropicale du Yucatán. C'était décidé, si je retournais au Mexique, j'en apporterais une bouture avec moi.

Je n'ai pu m'empêcher de repenser à Exley : c'était lui qui m'avait proposé ce bel oiseau, ma toute première plante tropicale. Hélas, jamais il ne la reverrait. Désormais, je me ferais un devoir de la soigner en son honneur, sans jamais oublier qu'il aurait pu me tuer si Armand ne l'avait pas liquidé avant.

Plus tard dans la soirée, je suis descendue me promener du côté de la laverie. La vitrine flambant neuve miroitait à cause de la chaleur. J'ai ouvert la porte et j'ai entendu la vieille clochette des champs tintinnabuler. La pièce était envahie de plantes. Sonali avait dû les remplacer pendant qu'on était au Mexique. J'ai retiré mes chaussures, et mes pieds se sont enfoncés dans le sol en mousse. Pour la première fois depuis mon retour, je me sentais chez moi. J'ai inspiré, lentement, profondément, comme Diego me l'avait enseigné.

J'ai examiné la pièce jusqu'au moment où je l'ai vue. Elle n'était pas devant la vitrine, elle était au fond, mais bien là : une fougère de feu.

J'ai pris une paire de ciseaux en argent qu'Armand m'avait offerts et coupé une petite bouture. J'avais décidé de la mettre dans un verre d'eau tiède, dans le noir total, et d'attendre. Dès que je verrais de belles racines blanches, je retournerais au Mexique.

Une remarque d'Armand au moment où j'avais accepté ma première bouture de sa main m'est revenue en mémoire.

Seule l'oxalide décidera si oui ou non elle accepte de donner des racines en votre présence. Dans une semaine, un an, ou jamais. On verra.

Note de l'auteur

Ce livre est un voyage qui nous transporte du monde de la publicité, à New York, aux forêts tropicales de la péninsule du Yucatán, des vendeurs de plantes du marché d'Union Square aux *curanderos*, herboristes, chamans et charlatans, et jusque dans l'esprit des plantes elles-mêmes.

Mon récit a été inspiré par mon amitié avec Armand, qui a eu la gentillesse de m'autoriser à utiliser son prénom, magnifique, qui lui va comme un gant.

Au fil des ans, Armand m'a appris beaucoup de choses sur la flore et sur la vie. J'ai exploité une partie de ces connaissances pour imaginer cette histoire. Je dirai donc que mon roman est de l'ordre de la fiction pour le montage, mais très véridique pour son contenu scientifique.

À vous de choisir. Lisez-le de la façon qui vous procure le plus de plaisir.

Gloxinia speciosa

CYCADE

Theobroma cacao

FLEUR DE LUNE

Cannabis sativa

MUGUET

Atropa mandragora

Cicorium intybus

Datura inoxia

Crédits photographiques de la couverture

Composition PCA
44400 – Rezé

Imprimé en France
par Corlet Imprimeur
Dépôt légal : mai 2009
N° d'impression : 120347
ISBN : 978-2-7499-1037-6
LAF 1202